ARAN and GANSEY

アラン & ガンジーニット

風工房

文化出版局

CONTENTS

A
アランチュニック
p.4/5

B
アランロングセーター
p.6/7

C
ガンジー V ネックセーター
p.8/9

D
ラグランスリーブのアランセーター
p.10/11

E
メンズアランジャケット
p.12/13

F
アランロングマフラー
p.14/15

G
赤のガンジーセーター
p.16/17

H
アランカーディガン
p.18/19

アラン模様やフィッシャーマン、ガンジーと呼ばれる模様を知ったのは、編み物のデザインを仕事にするようになって、ずいぶん後のことです。交差の縄模様やダイヤ柄は、名前を知る以前から、繰り返し使ってデザインをしていました。

メアリー・ライト、グラディス・トンプソン、マイケル・パーソンなどが出版した、アランやガンジー模様の本を見て、改めて模様や歴史に興味を持ち、現地に行ってみたいと思ったものの、アラン諸島の一つイニッシュマン島を訪ねたのは、本を購入したずいぶん後のことです。本場のガンジーは5プライの糸、アランは太めの撚りの強い糸で編まれています。

この本では現代の生活に合うよう、上質で軽めの、ふくらみのある糸を使っています。模様はよく使う私の好きな模様をいろいろ組み合わせ、バランスを考えてデザインをしました。読者のみなさまにも気に入って、楽しく編んでいただけたらとてもうれしいです。

風工房

I
メンズガンジーセーター
p.20/21

J
アランジャケット
p.22/23

K / L
アランの帽子
p.24/25

M
アランケープ
p.26/27

N / O / P
ガンジーハンドウォーマー＆マフラー
p.28/29

Q
アラン＋ガンジーの横編みセーター
p.30/31

R
3色づかいのアランセーター
p.32/33

S
メンズアランセーター
p.34/35

T / U
アラン大判ストール＆マフラー
p.36/37

V
アランベスト
p.38/39

W / X
アランベレー＆ミトン
p.40/41

Y / Z
アランソックス
p.42/43

アラン模様と
ガンジー模様について
p.44/45

基礎テクニック
p.46

編み方
p.49

A
アランチュニック

ふくらみのあるツイードヤーンは、たくさんの模様を入れても軽いので、チュニック丈に。裾、袖口に石垣の模様、オープンケーブル、生命の木、ボッブル、杉綾模様などを切替えの上に配置。縁がゆるまないようねじりゴム編みにしました。

糸／ブルックリンツィード シェルター
編み方／**49**ページ

B
アランロングセーター

中央はサクソンケーブル、またはケルティックケーブルと呼ばれ、比較的新しい模様。両サイドに三つ編みケーブル、ジグザグ、1目2段のかのこ編み。裾、衿にも小さなジグザグを入れて身頃と続けます。長めの裾をスリットにして動きやすくしました。

糸／ハマナカ アランツィード
編み方／**52**ページ

C
ガンジー
Vネックセーター

ガンジーの基本色ダークネイビーで編んだ
Vネックセーター。ガンジーの模様の中で、
縄と縦に並べたダイヤを選び、間を表目
とガーター編みの繰返しにしました。小さ
なVネックは素肌に着てもすっきり着こな
せます。

糸／パピー シェットランド
編み方／56ページ

D
ラグランスリーブの
アランセーター

アランニットの王道、生成りでラグラン袖にしたセーター。○と×、ハニカム、ダブルケーブル、小さな三つ編み、シングルケーブルなどを並べ、ハニカムは裾から衿ぐりまで立てます。ラグラン線にもケーブルを立て、模様を消しながら減らします。

糸／リッチモア スペクトルモデム
編み方／**58**ページ

E
メンズアランジャケット

本場の糸に近い英国羊毛の糸で編んだラグランのジャケット。アランハニカム、ジグザグ、大小の交差のダブルケーブルをねじり目で区切りました。ポケットと縦ゴムのへちま衿のクラシックな形は女子にも似合います。

糸／パピー ブリティッシュエロイカ
編み方／**63**ページ

F
アランロングマフラー

ブルーグレーのツイードヤーンで、幅広のロングマフラーを作りました。バスケットの模様と交互に交差をずらしたケーブル。ぐるぐる巻いてスヌードのように端をとめるとボリュームのある冬のアクセサリーになります。

糸/ブルックリンツイード シェルター
編み方/**68**ページ

G
赤のガンジーセーター

肌触りのよいカシミアで編んだので、表目と裏目だけのガンジー模様のセーターがおしゃれな街着になりました。波、にしんの骨、菱形、波頭、ひょうなどと呼ばれる模様をガーターで区切ってボーダーにしました。

糸／リッチモア カシミヤ
編み方／**72**ページ

H
アランカーディガン

きれいな緑色で、左右の肩まで杉綾、ハニカムの模様を立てたラウンドネックカーディガン。袖はゴムを長く、ジグザグの中央にはケーブル。1目2段のかのこ編みもくっきりと出て、シンプルで着こなしのアクセントになる一枚に。

糸／リッチモア スペクトルモデム
編み方／**74**ページ

I
メンズ
ガンジーセーター

きれいなロイヤルブルーは、ガンジーヤーンの撚りに近い糸なので、表目と裏目の模様もくっきり出ます。昔のフィッシャーマンの晴れ着のようにヨークから上に、にしんの骨、ケーブル、はしご、旗、潮流などの模様を入れました。

糸／パピー シェットランド
編み方／**76** ページ

J
アランジャケット

シックなワインカラーの英国羊毛の糸。大好きなハニカムを中央に、花のつぼみのような模様、V字模様を背幅いっぱいに配置。小さな交差とハニカムを衿に使い、ボリュームを出しました。ポケットもつけて着やすい丈のジャケットです。

糸／パピー ブリティッシュエロイカ
編み方／**69**ページ

K / L
アランの帽子

生成りときれいな青で折返しにも模様を入れた帽子です。三つ編みと小さなケーブルの間は1目ゴムでかぶったときにフィットするようにしました。折返しを編み、裏返して編み方向を変えて編みます。

糸／リッチモア スペクトルモデム
編み方／**78**ページ

M
アランケープ

リリヤーン状のアルパカ混紡糸。固くならないように太めの針で編みます。小さなダイヤにポップルをたくさん入れても、糸が軽いのでだれません。三つ編みと交互に配置、間の裏メリヤスのところで減らします。

糸／ハマナカ ソノモノアルパカリリー
編み方／**85**ページ

N/O/P
ガンジー
ハンドウォーマー&マフラー

同じガンジー模様を使って、親指を出す長い丈のハンドウォーマーと、生成りは短く筒状に編んだだけ。上質なグレーの広幅マフラーは、半分に折ったり、広げてショールのように肩にかけてと、いろいろな巻き方を楽しめます。はしご、潮流、旗、波頭、稲妻などの模様のブロックの繰返しです。

糸/リッチモア カシミヤ
編み方/**80**ページ

Q
アラン＋ガンジーの 横編みセーター

カシミアのマリンブルーで、袖、ヨーク、袖とアランハニカムを横編みにして、ボートネックに衿をあけました。身頃はヨークから拾って、はしごの模様で裾に向かって編み下げます。カシミアのしなやかさでアランハニカムも体になじみます。

糸／リッチモア カシミヤ
編み方／**84** ページ

R
3色づかいの
アランセーター

紅葉の木々のようなツイードヤーンの同系色の3色を切り替えたセーター。三位一体やブラックベリーと呼ばれる模様、スプーン、ロープの模様と変りゴム編み。ねじり目とジグザグの模様を縁回りに使っています。たくさんの模様を入れても驚くほど軽い糸です。

糸／ブルックリンツィード シェルター
編み方／**94** ページ

S
メンズアランセーター

中央にねじりゴムのダイヤ模様，チェーン、ウィッシュボーンとかのこ編みを入れたラグランセーターは深い森の緑色のツイードヤーン。中央のねじりゴムのダイヤ模様は、編み上がると線が浮き出てとてもきれい。

糸／ブルックリンツィード シェルター
編み方／**87** ページ

T / U
アラン大判ストール＆マフラー

キャメル色でチェーンの模様とケーブルを繰り返した大判ストールを作りました。そのままはおってジャケットのように着こなすと、大きな模様が映えます。幅の調整はサイドの変りゴムの目数を変えることでもできます。紺色のマフラーは模様を1列だけにして幅広に。ボリュームが出るのでユニセックスなマフラーです。

糸／リッチモア スペクトルモデム
編み方／**96** ページ

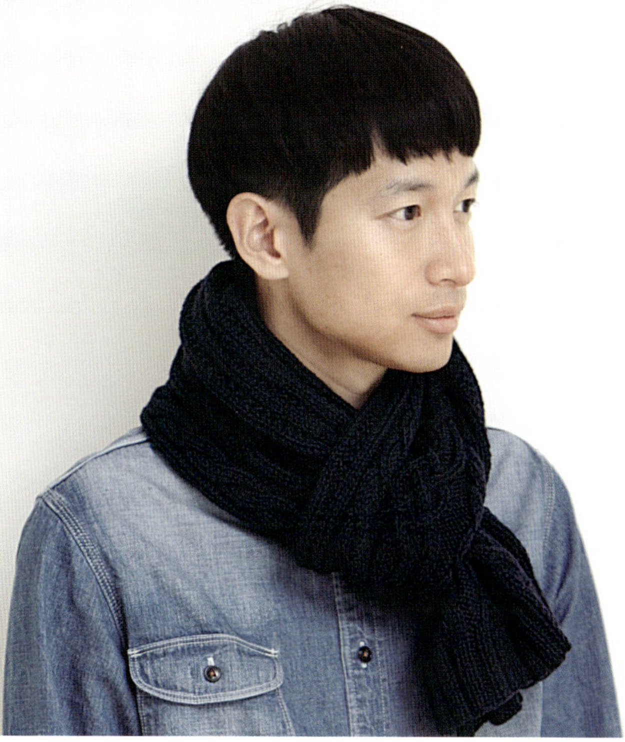

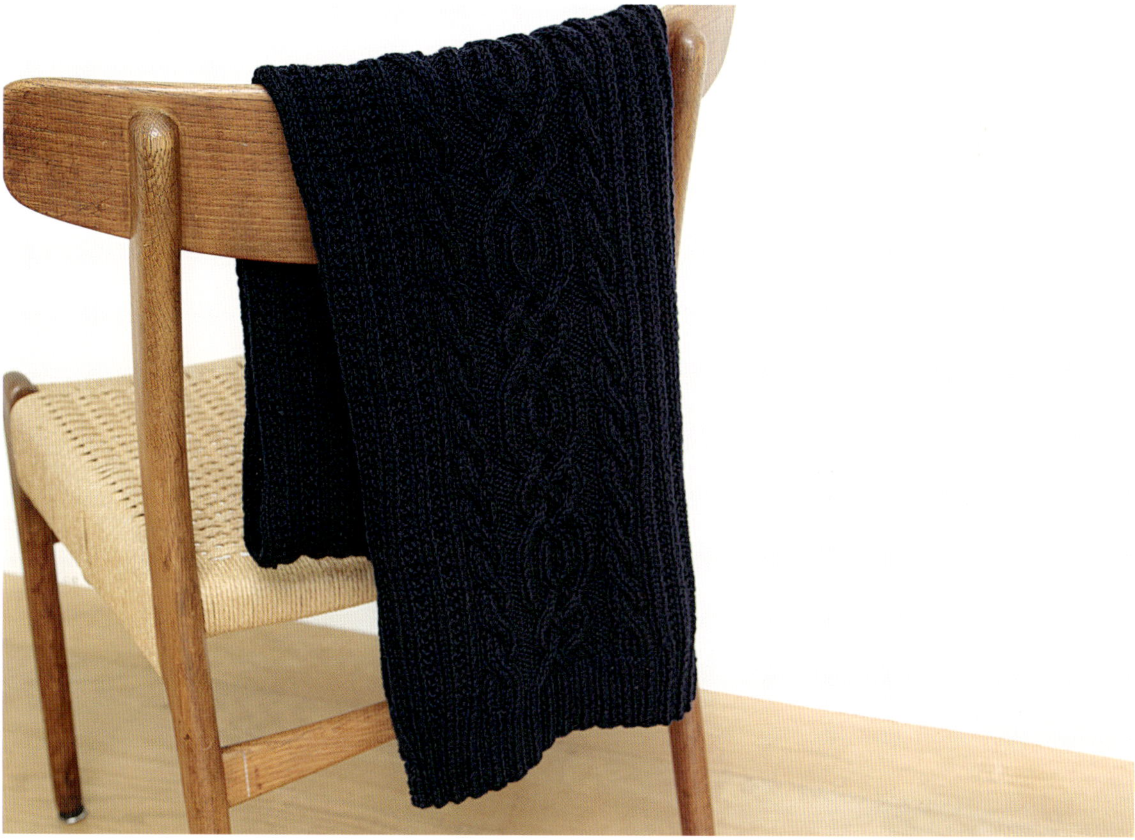

V
アランベスト

アルパカ混紡のツイードヤーンのグレーで、総バスケット模様のへちま衿のベストを作りました。ボリュームのある編み地は、アウターとして活躍します。薄手の軽いはおり物を着れば、真冬でも大丈夫。バスケットも大好きな模様です。

糸／ハマナカ アランツイード
編み方／**98**ページ

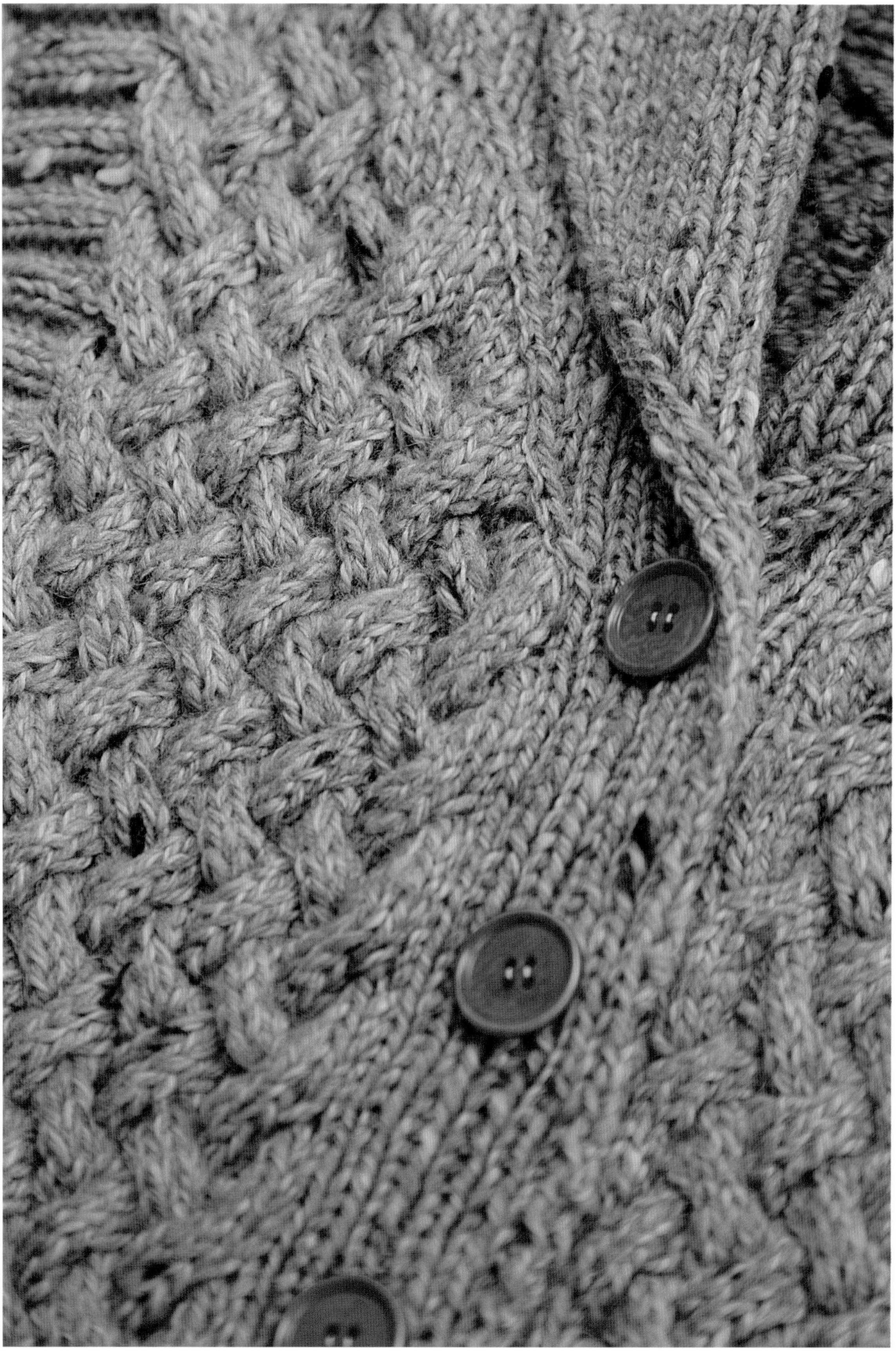

40

W/X
アランベレー&ミトン

ツイードヤーンには珍しい、懐かしいくすんだ色合いのピンクで、ハニカムとダイヤの模様のベレーとミトンを作りました。ベレーのトップはダイヤの形にそって減らしていくと、ハニカムが減って、自然にダイヤも閉じていきます。ミトンもハニカムの模様に合わせて減らしていきます。少し大きくしたいときは、手のひらと甲の間のメリヤスの目数を増やします。縁編みも交差とねじり目でしっかりとします。

糸/ブルックリンツィード シェルター
編み方/**100**ページ

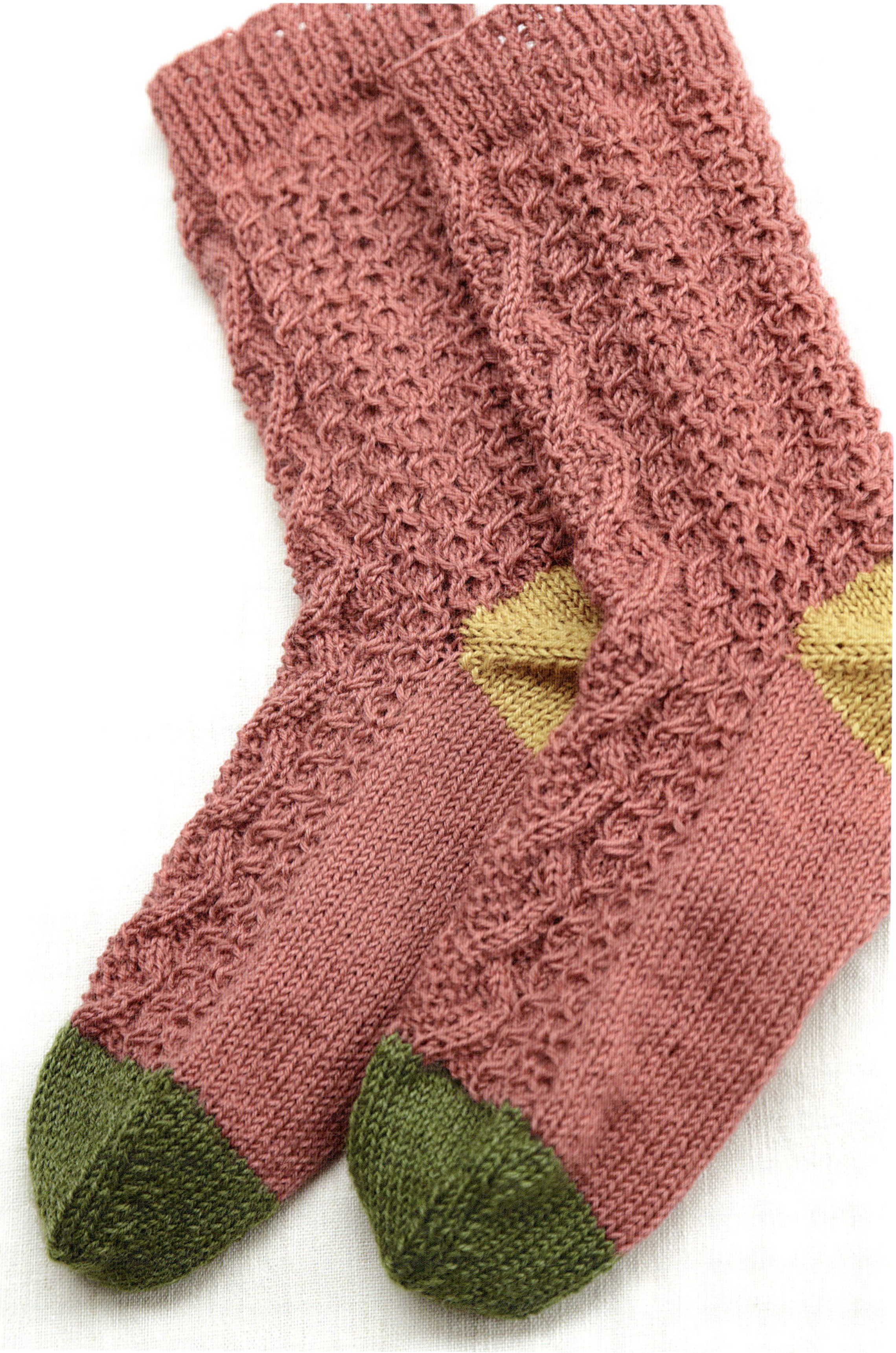

Y/Z
アランソックス

ソックスは毛100％より混紡糸で編みます。いろいろな編み方がありますが、この靴下はつま先の上から編み始めて、かかとに別糸を入れ、足首に向かって編んでいます。中央にハートの模様、ハニカム、交差など、伸縮性のある模様で足首回りを編むとフィットします。つま先、かかと共に拾って減らして編み、メリヤスはぎで終わります。ベースの色に合う色でつま先、かかとを編むと楽しい靴下の出来上り。

糸／ハマナカ コロポックル
編み方／**102**ページ

44

stories about
ARAN and GANSEY

アラン模様と
ガンジー模様について

アラン模様のセーターの歴史はガンジーやフェアアイルより古いと言われていますが、ほんとうのことはまだ解明されていません。「模様にケルト文化の影響」、「カソリックの影響」を受けたのだろうと、歴史家は関連づけますが、それも不確かです。

アラン模様は1930年ごろから70年代ごろまでファッションデザイナーが注目し、アラン諸島からアイルランド西岸全域で盛んに編まれ、輸出されました。確かに、ケルトの文様や島の生活の影響を受けた生命の木、三位一体（広くはブラックベリー）、石垣、ダイヤモンドなどを見ると、なるほどと思えます。製作者が競って華やかな模様を生み出し、それをアレンジしてより洗練させていったのでしょう。

ガンジーセーターは、英国とフランスの間にあるチャネル諸島の一つ、ガンジー島から伝わったと言われています。それが英国南西部から東海岸全域に漁師たちによって広まり、19世紀末から20世紀初めには、それぞれの漁村で独自の模様が生み出され、模様からどこの村出身かわかると言われました。日常の労働着は、ガンジー島のガンジーセーターのようにシンプルなものが着られていたことが多いようです。紺色に染めた5プライの糸でかっちりと編まれて、動きやすいように体にフィットし、まちを袖下に入れて腕を動かしやすくするなど、下着のパターンと同じようなセーターです。漁師の妻たちが家族のために編み、お金を出して店で買えるものではなかったというところが、アランセーターとの違いでしょうか。一般にはアランセーターのほうが広まったようですが、ガンジーセーターの根強いマニアはいて、ganseys.comでは、現在編んでいるガンジーセーターの投稿やガンジーの神話に関して熱い議論が続いています。

[基礎テクニック]

作り目

◎指に糸をかけて目を作る方法　※作り目は指定の針の号数より1～2号下げるか、針1本にして、1号太い針を使うときれい。

1 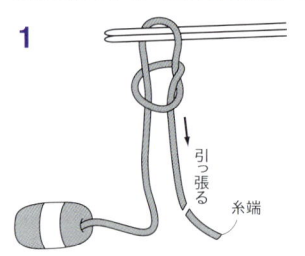
糸端から編む寸法の約3倍の長さのところで輪を作り、棒針をそろえて輪の中に通す

2 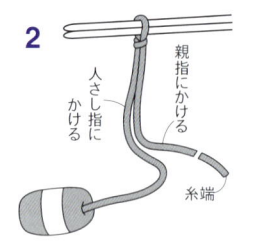
輪を引き締める

3 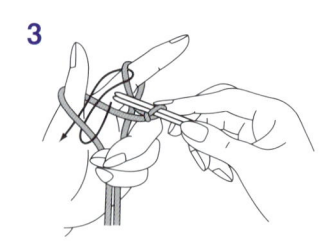
短いほうを左手の親指に、糸玉のほうを人さし指にかけ、右手は輪のところを押さえながら棒針を持つ。人さし指にかかっている糸を図のようにすくう

4 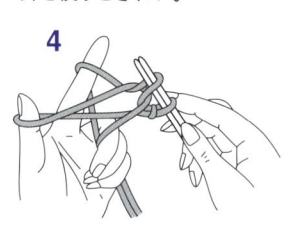
すくい終わったところ

5 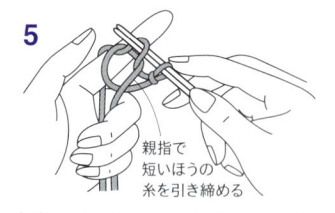
親指にかかっている糸をはずし、その下側をかけ直しながら結び目を締める

6 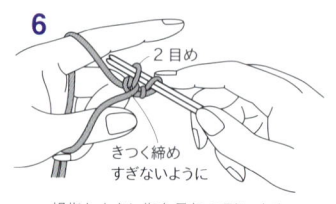
親指と人さし指を最初の形にする。3～6を繰り返す

7 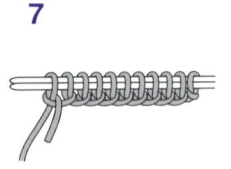
必要目数を作る。これを表目1段と数える

8 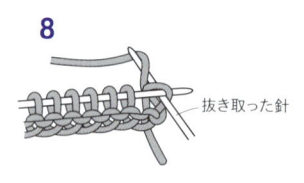
2本の棒から1本を抜き、糸のある側から2段めを編む

◎別糸を使って作る方法

1 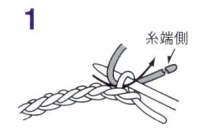
編み糸に近い太さの木綿糸で、鎖編みをし、鎖の編始めの裏側の山に針を入れて編み糸を引き出す

2 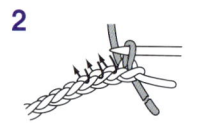
必要数の目を拾う

3 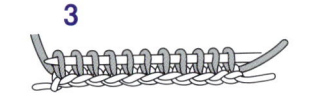
拾えたところ。これを表目1段と数える

4 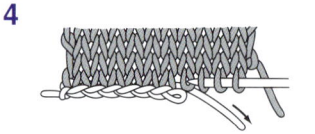
目を拾うときは、別鎖の目をほどきながら目を針に拾う。最後の端の目は半目を拾う

◎かぎ針を使って作る方法

1 
かぎ針で1目鎖目を編み、糸の手前側に棒針をおく

2 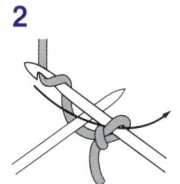
かぎ針に糸をかけ、矢印のように糸を引き出す

3 
糸を棒針の向う側に回す

4 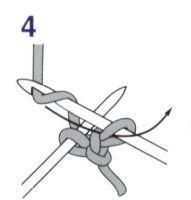
かぎ針に糸をかけ、矢印のように糸を引き出す

5 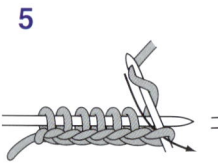
3～4を繰り返す

6 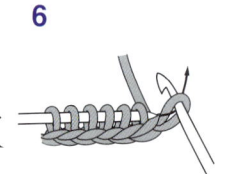
最後の目は、かぎ針の目を棒針に移す。作り目は段数に数えない

編み目記号

表目	裏目	かけ目	ねじり目	ねじり目（裏目）
∣	−	○	ℚ	ℚ

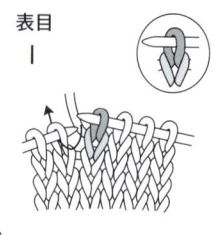

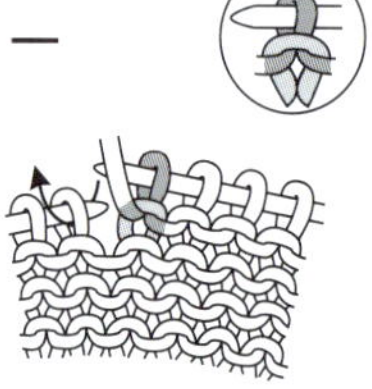

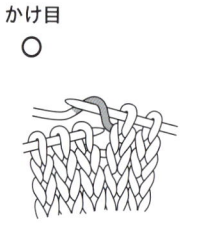

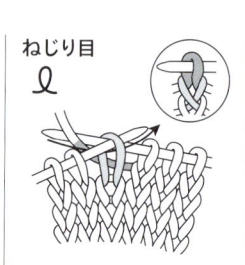

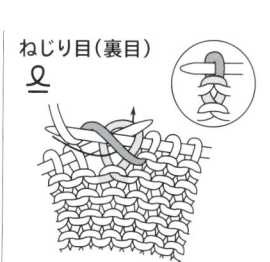

右上2目一度
表目を編む / 編まずに右針に移す
移した目をかぶせる

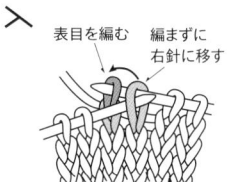

左上2目一度
表目を2目一度に編む

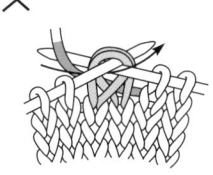

右上2目一度（裏目）
右針に移した2目に針を入れる / 裏目を一度に編む

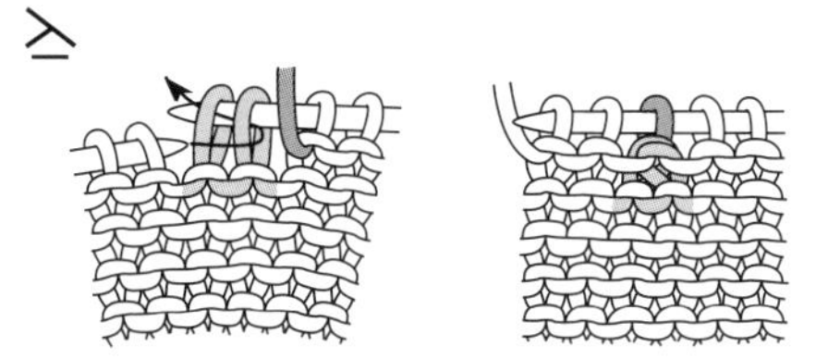

左上2目一度（裏目）
裏目を2目一度に編む

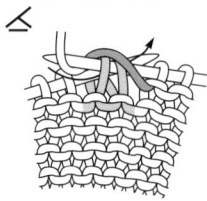

右上3目一度
左上2目一度 / 編まずに右針に移す
移した目をかぶせる

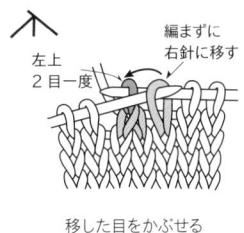

左上3目一度
3目一度に編む

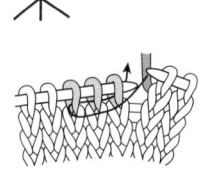

左上3目一度（裏目）
裏目を3目一度に編む

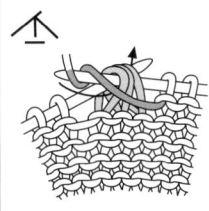

中上3目一度
左上2目一度の要領で右針に移す / 表目を編む
2目を一緒にかぶせる

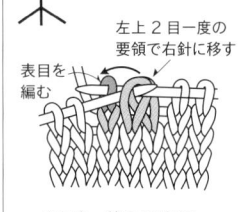

巻き目

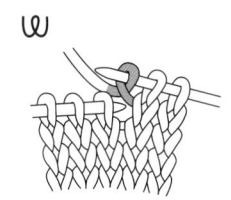

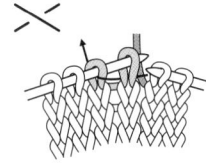

右上交差
右針を次の目の後ろを通って矢印のように1目とばして入れ、表目を編む / とばした目を表目で編む / 左針から2目をはずす 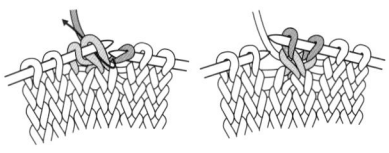

左上交差
右針を次の目の前を通って矢印のように1目とばして入れ、表目を編む / とばした目を表目で編む / 左針から2目をはずす

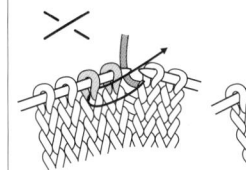

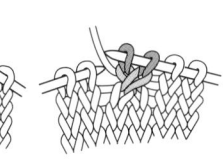

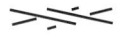

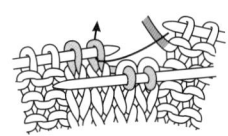

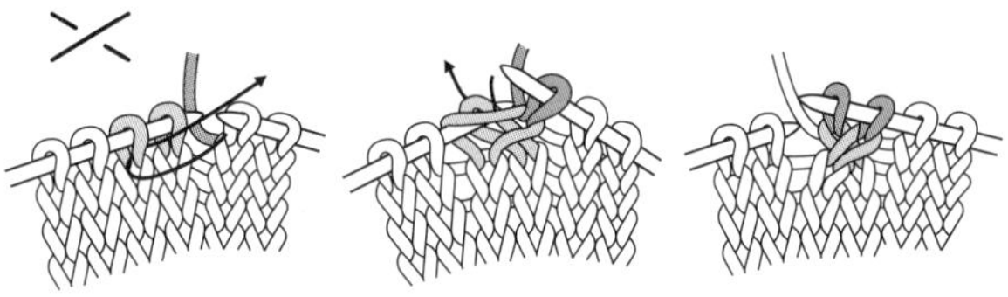

右上交差（2目）
別針に2目とって手前におき、次の2目を表目で編む / 別針の目を表目で編む

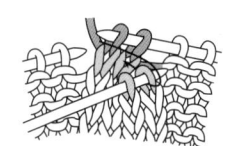

左上交差（2目）
別針に2目とって向う側におき、次の2目を表目で編む / 別針の目を表目で編む

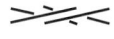

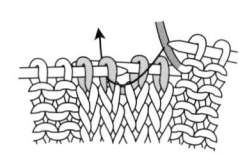

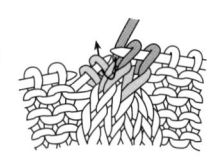

右上2目交差、左上2目交差の要領で、交差を編むときに下側の目を裏目で編む

※目数が異なる場合も同じ要領で編む

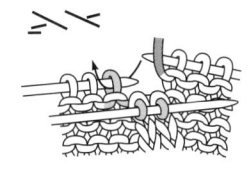

右上交差（表目と裏目）
別針に2目とって手前におき、次の1目を裏目で編む / 別針の目を表目で編む

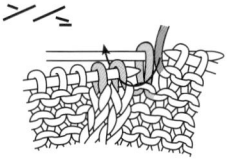

左上交差（表目と裏目）
別針に1目とって向う側におき、次の2目を表目で編む / 別針の目を裏目で編む

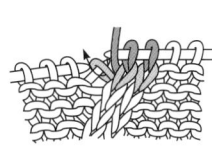

※目数が異なる場合も同じ要領で編む

ねじり目で増す
1目めと2目めの間の渡り糸を右の針ですくい、ねじり目で編む

ねじり目と裏目の右上交差
別針に1目とって手前に休め、次の1目を裏目で編む / 別針の目をねじり目で編む

ねじり目と裏目の左上交差
別針に1目とって向う側に休め、次の1目をねじり目で編む / 別針の目を裏目で編む

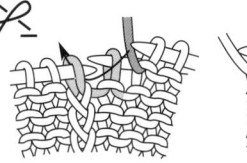

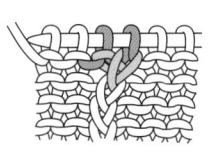

編出し増し目
裏目 / 表目

47

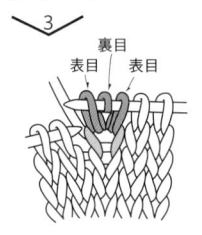

目の止め方

◎棒針を使う方法

● 伏止め（表目）

1 端の2目を表目で編み、1目めを2目めにかぶせる

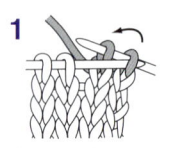

2 表目を編み、かぶせることを繰り返す

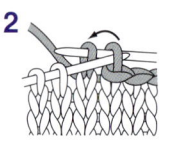

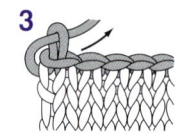

3 最後の目は、引き抜いて糸を締める

● 伏止め（裏目）

1 端の2目を裏目で編み、1目めを2目めにかぶせる

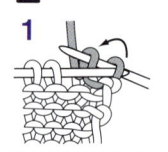

2 裏目を編み、かぶせることを繰り返す

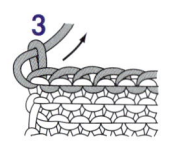

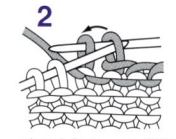

3 最後の目は、引き抜いて糸を締める

◎かぎ針を使う方法　※棒針編みの最後をかぎ針に替えて伏止めをする方法。目が拾いやすく、つれずにきれいに伏せることができる。かぎ針の号数は棒針の号数より1号細い針を用意する

● 伏止め（表目）

1 端の目にかぎ針を手前から入れて、糸をかけて引き抜く

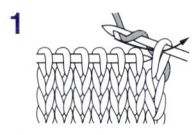

2 2目めにかぎ針を入れ、糸をかけて2目を一度に引き抜く

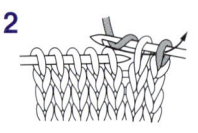

3 2を繰り返し、最後の目は、引き抜いて糸を締める

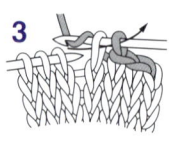

● 伏止め（裏目）

1 端の目にかぎ針を向う側から入れ、糸をかけて引き抜く

2 糸を手前において次の目も同じ要領でかぎ針を入れ、糸をかけて2目一度に引き抜く

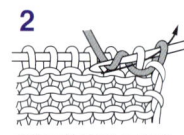

3 2を繰り返す。最後の目は引き抜いて糸を締める

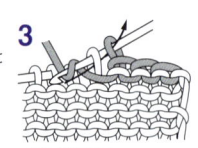

はぎ方・とじ方

かぶせ引抜きはぎ

1 編み地を中表にして持ち、手前側の目からかぎ針を入れて2目をとり、向う側の目を引き抜く

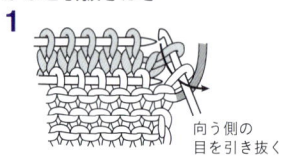

2 糸をかけて引き抜く

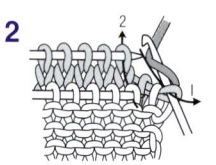

3 2目めも1のように向う側の目を引き出す

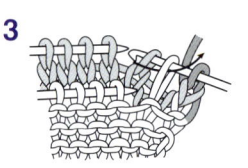

4 糸をかけ、3で引き出した目とかぎ針にかかっている目を一緒に引き抜く

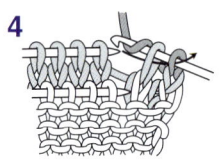

5 3、4を繰り返す

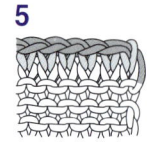

メリヤスはぎ（針に目が残っている場合）

1 手前側の端の目に裏側から糸を出し、向う側の端の目に針を入れる

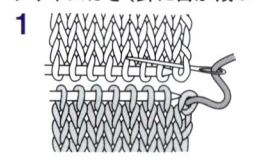

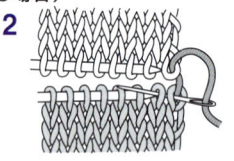

2 手前側の端の目に戻り、表側から針を入れ、2目めの表側に針を出す

3 向う側の端の目の表側から針を入れ、2目めの表側に針を出す

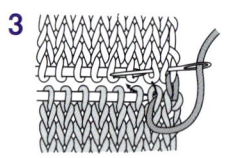

4 2、3を繰り返す

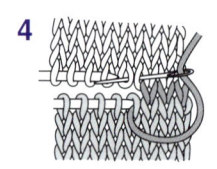

メリヤスはぎ（両方の目が伏止めしてある場合）

1 手前側の端の目に糸を出し、向う側の端の目に針を入れる

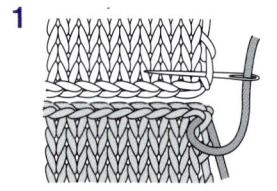

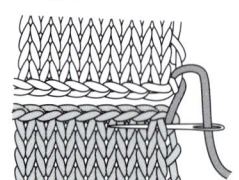

2 手前側の端の目に戻り、表側から針を入れ、2目めの表側に針を出す

3 向う側はVの字の目に、手前側は八の字の目をすくう。

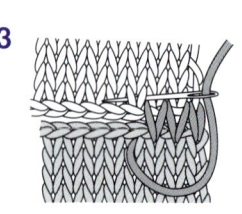

目と段のはぎ

1 上の段は端の目と2目めの間の渡り糸をすくい、下の目はメリヤスはぎの要領で針を入れる

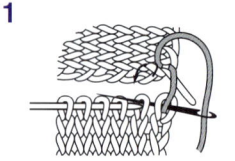

2 はぎ合わせる目数より段数が多い場合は、ところどころで1目に対して2段すくい、均等にはぐ

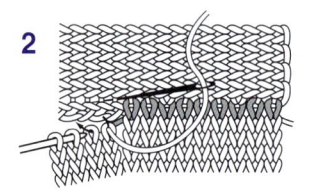

引抜きとじ

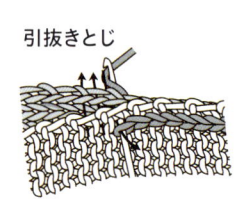

編み地を中表に合わせ、端から1目めと2目めの間に針を入れ、糸をかけてから引き抜く

すくいとじ

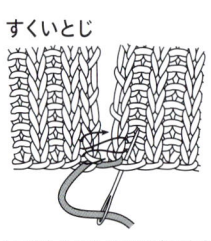

1目めと2目めの間の渡り糸を1段ずつ交互にすくう。糸を引き締める

A

アランチュニック
p.4/5

糸 ブルックリンツィード　シェルター　SNOWBOUND 540g
針 6号、4号2本棒針　4号4本棒針　3/0号かぎ針
ゲージ 模様編みB　21.5目28段が10cm四方
　　　　　模様編みC、C'、C"　24.5目26.5段が10cm四方
　　　　　模様編みD　22目26.5段が10cm四方
サイズ 胸囲94cm　着丈76.5cm　背肩幅36cm　袖丈55.5cm
編み方 糸は1本どりで編みます。
前後身頃、袖はそれぞれ指に糸をかけて目を作る方法で作り目をし、模様編みA〜D、ガーター編み、メリヤス編みを指定の針で編みます。肩をメリヤスはぎにし、衿ぐりから拾い目をして模様編みAを輪に編み、編終りはかぎ針を使う方法で伏止めします。脇、袖下をすくいとじにし、袖を引抜きとじでつけます。

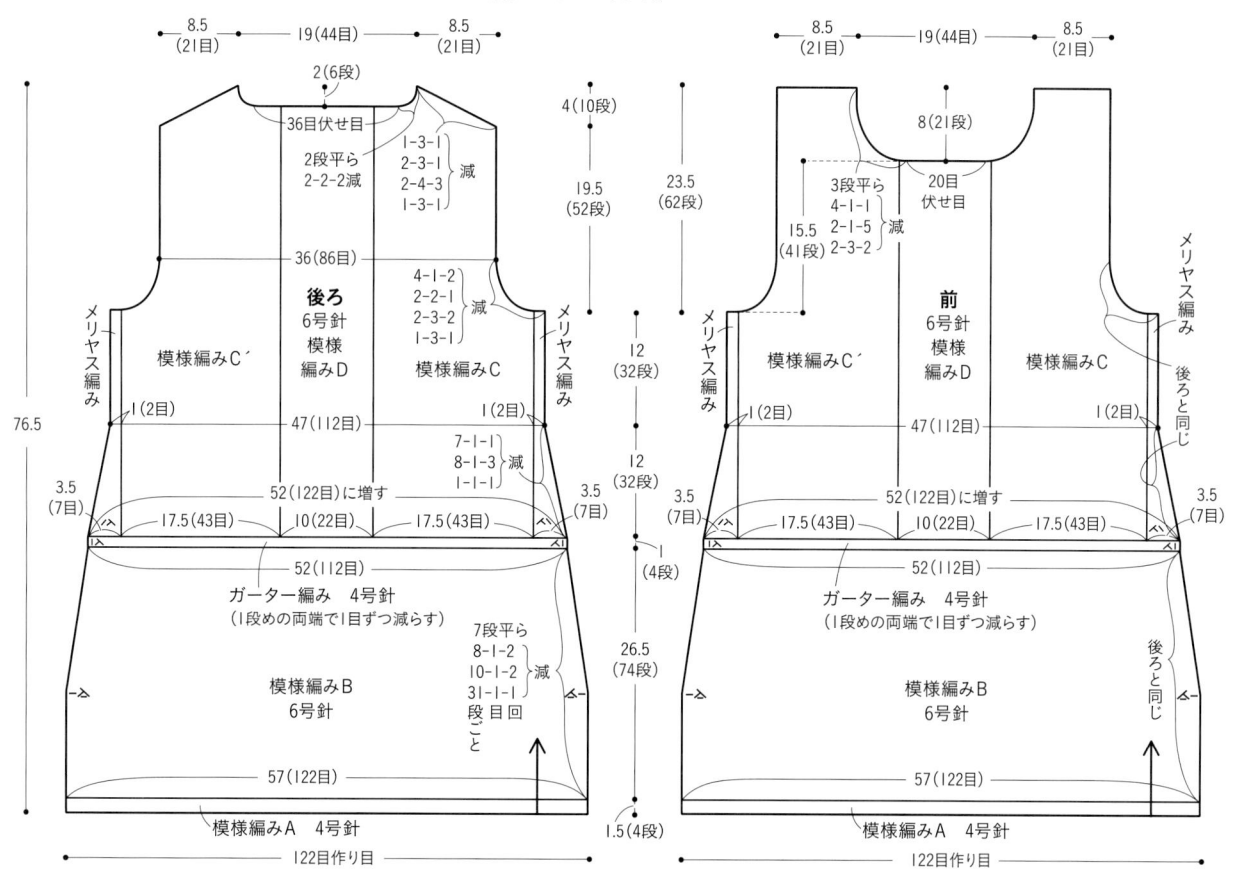

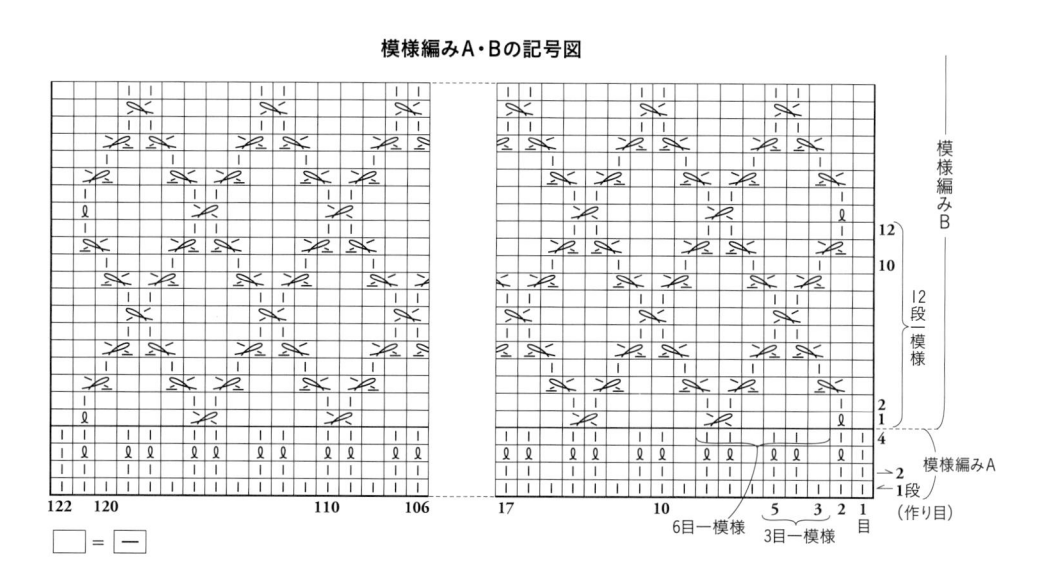

模様編みA・Bの記号図

□ = —

袖

- 16目 伏止め
- 1段平ら
- 2-4-1
- 2-2-4
- 2-1-5 } 減
- 2-2-6
- 1-3-1
- 12.5 (34段)
- 34 (80目)
- 3.5 (7目)
- 3.5 (7目)
- メリヤス編み
- メリヤス編み
- 袖　6号針　模様編みC´
- 27 (72段)
- 55.5
- 27 (66目)
- 5段平ら
- 6-1-10
- 7-1-1 } 増
- 増
- 23 (58目) に増す
- 1 (4段)
- ガーター編み 4号針
- 模様編みB 6号針
- 13.5 (38段)
- 23 (50目)
- 模様編みA　4号針
- 1.5 (4段)
- 50目作り目

衿ぐり

模様編みA　4号針

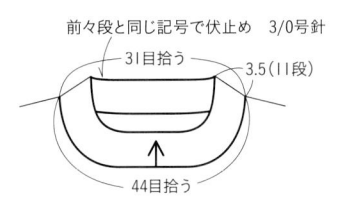

前々段と同じ記号で伏止め　3/0号針

- 31目拾う
- 3.5 (11段)
- 44目拾う

模様編みA（衿）の記号図

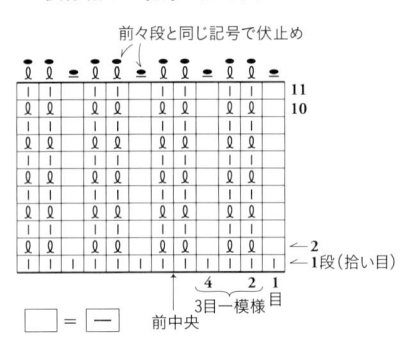

前々段と同じ記号で伏止め

11
10

2
1段（拾い目）

4　2
3目一模様
1目
前中央

□ = ―

模様編みC、Dの記号図

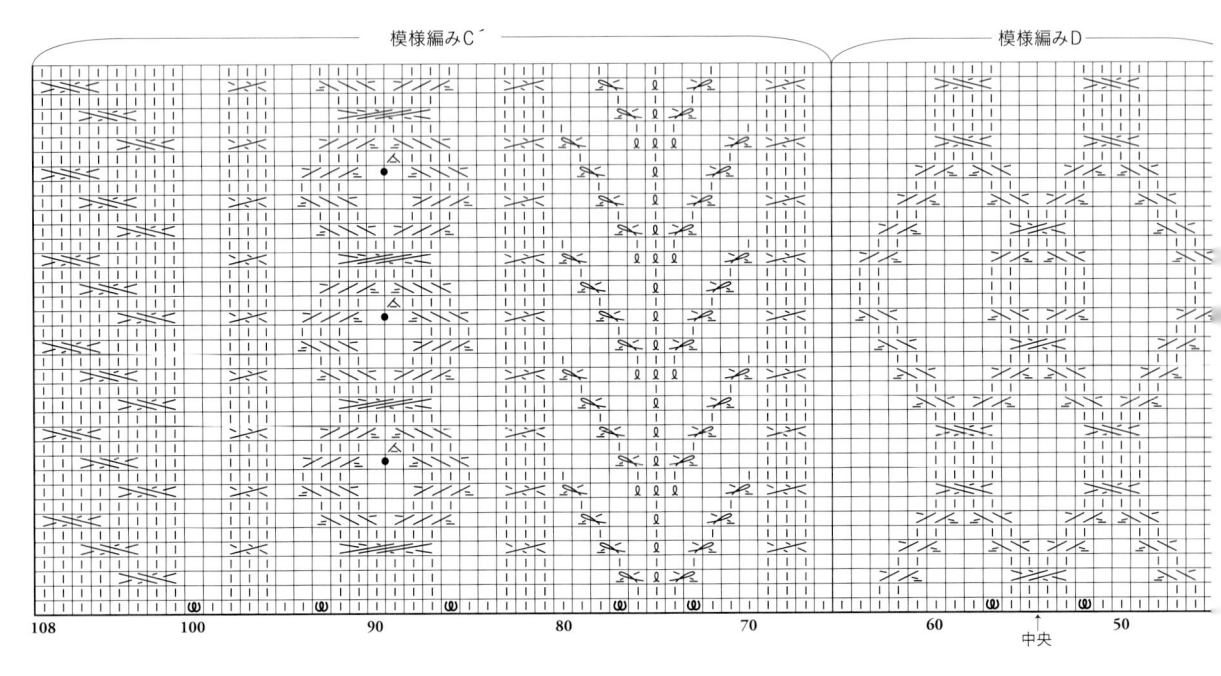

模様編みC´　　　　模様編みD

108　100　90　80　70　60　50
　　　　　　　　　　　　中央

□ = ―

50

袖の編み方

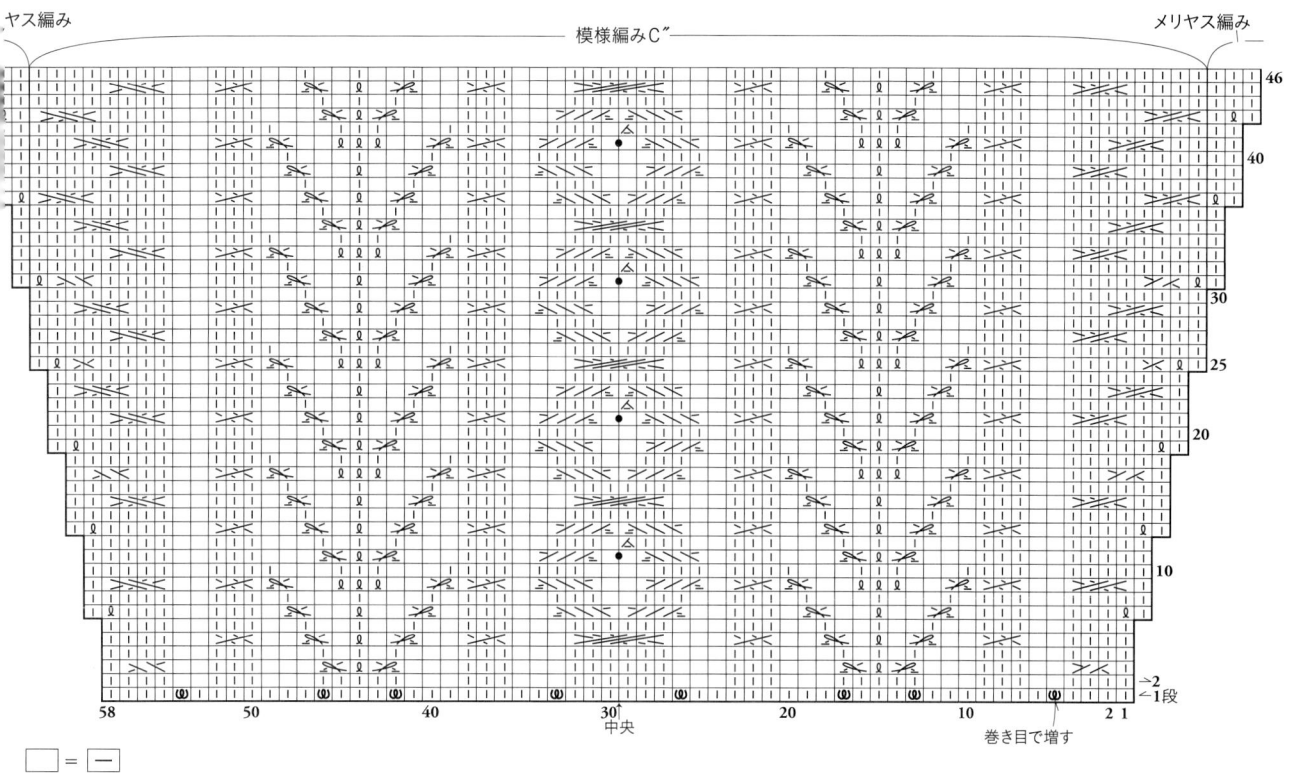

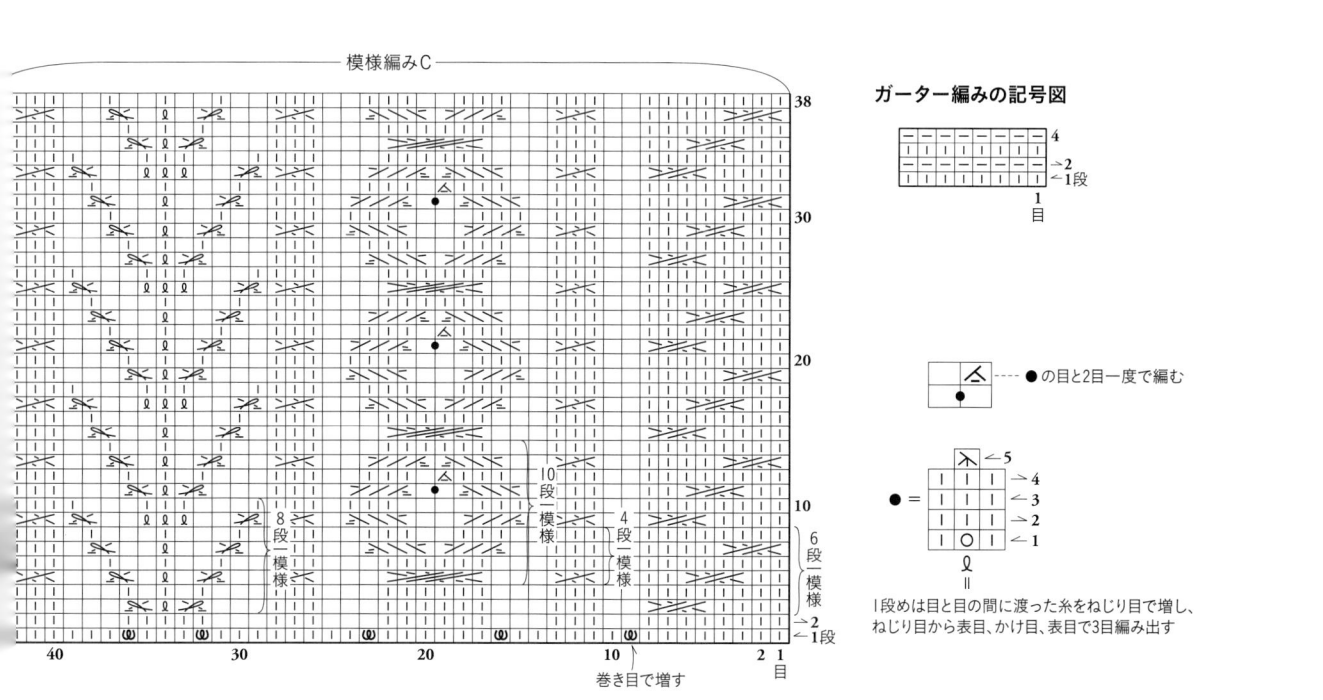

メリヤス編み　模様編みC″　メリヤス編み

巻き目で増す

□ = −

模様編みC

巻き目で増す

10段一模様 / 8段一模様 / 4段一模様 / 6段一模様

ガーター編みの記号図

● = ●の目と2目一度で編む

1段めは目と目の間に渡った糸をねじり目で増し、ねじり目から表目、かけ目、表目で3目編み出す

B

アランロングセーター
p.6/7

糸　ハマナカ アランツィード　ベージュ(1) 610g
針　9号、6号2本棒針　5、6号4本棒針　5/0号かぎ針
ゲージ　かのこ編み　17目26段が10cm四方
　　　　模様編みC　21目が8cm　26段が10cm
　　　　模様編みD　24目26段が10cm四方
サイズ　胸囲96cm　着丈69cm　ゆき丈73.5cm
編み方　糸は1本どりで編みます。
前後身頃、袖はそれぞれ指に糸をかけて目を作る方法で作り目をし、模様編みAを編みます。続けて増し目をし、かのこ編み、模様編みB～Dで編みます。ラグラン線をすくいとじし、衿ぐりから身頃の表側を見ながら拾い目をし、2段めからは身頃の裏側を見ながら模様編みAを輪に編み、編終りはかぎ針を使う方法で伏止めします。裾のスリット止めまで脇と袖下をすくいとじにし、伏せ目の部分をメリヤスはぎにします。

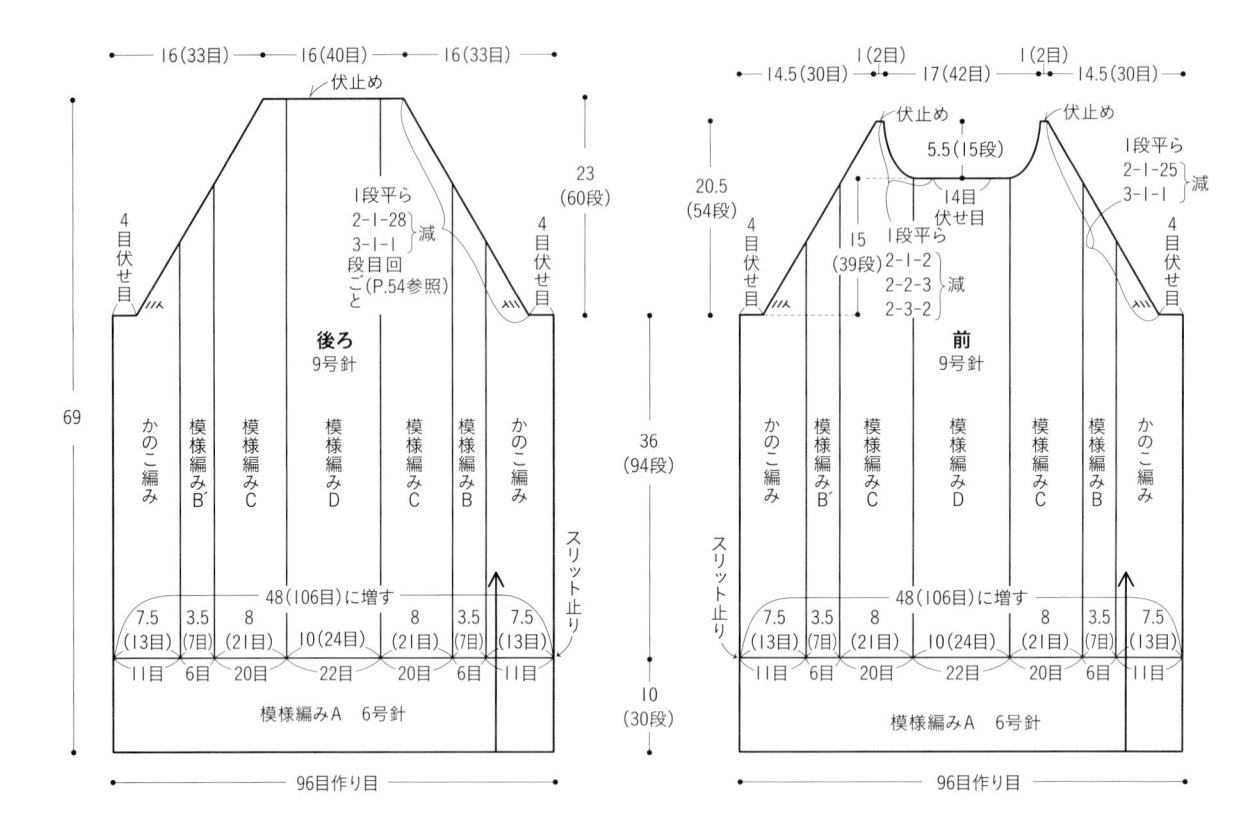

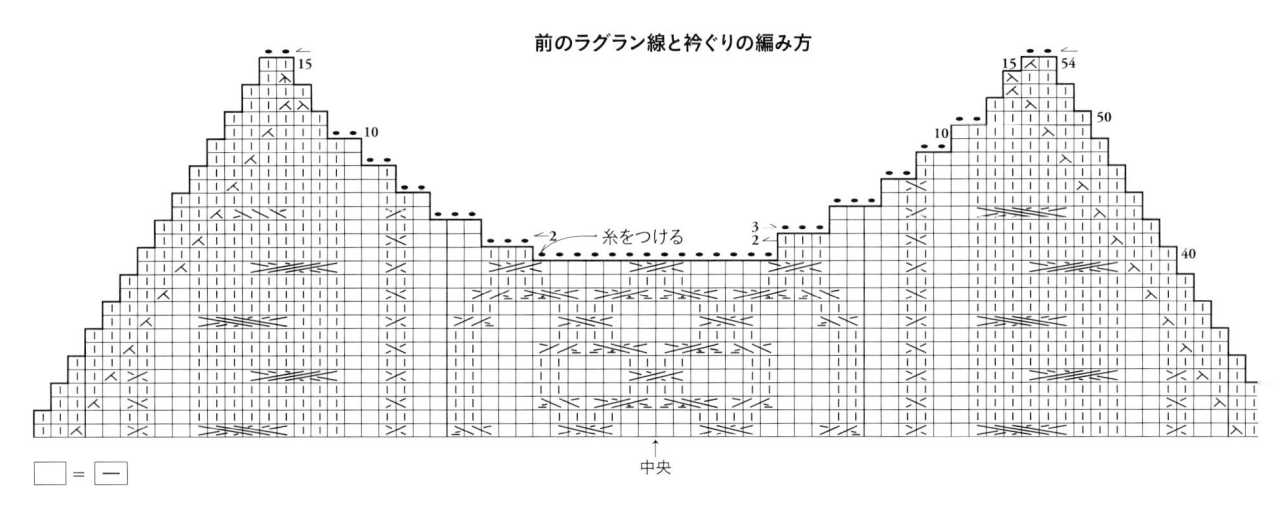

前のラグラン線と衿ぐりの編み方

□ = ―

中央

模様編みA〜D、かのこ編みの記号図

後ろラグラン線の編み方

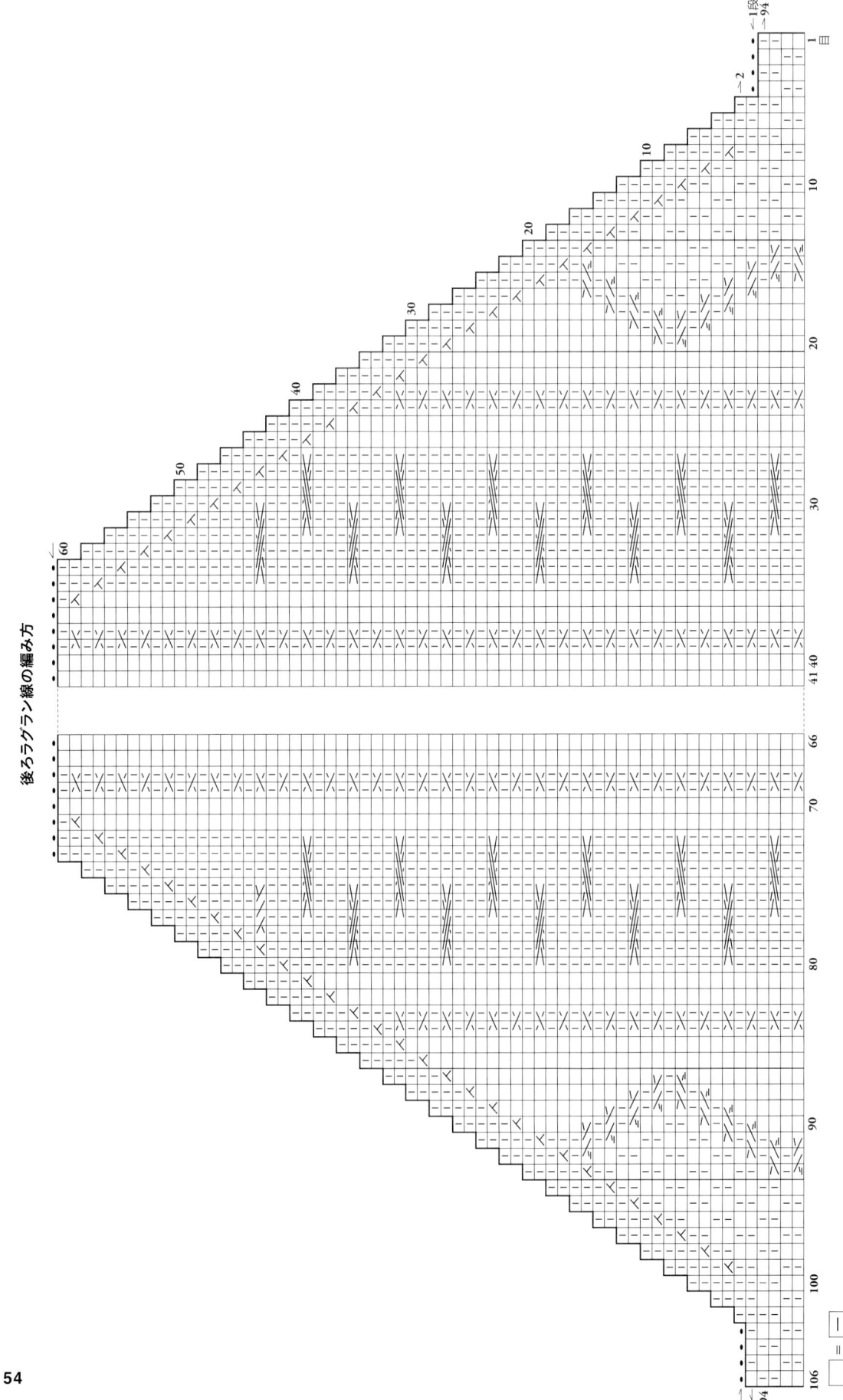

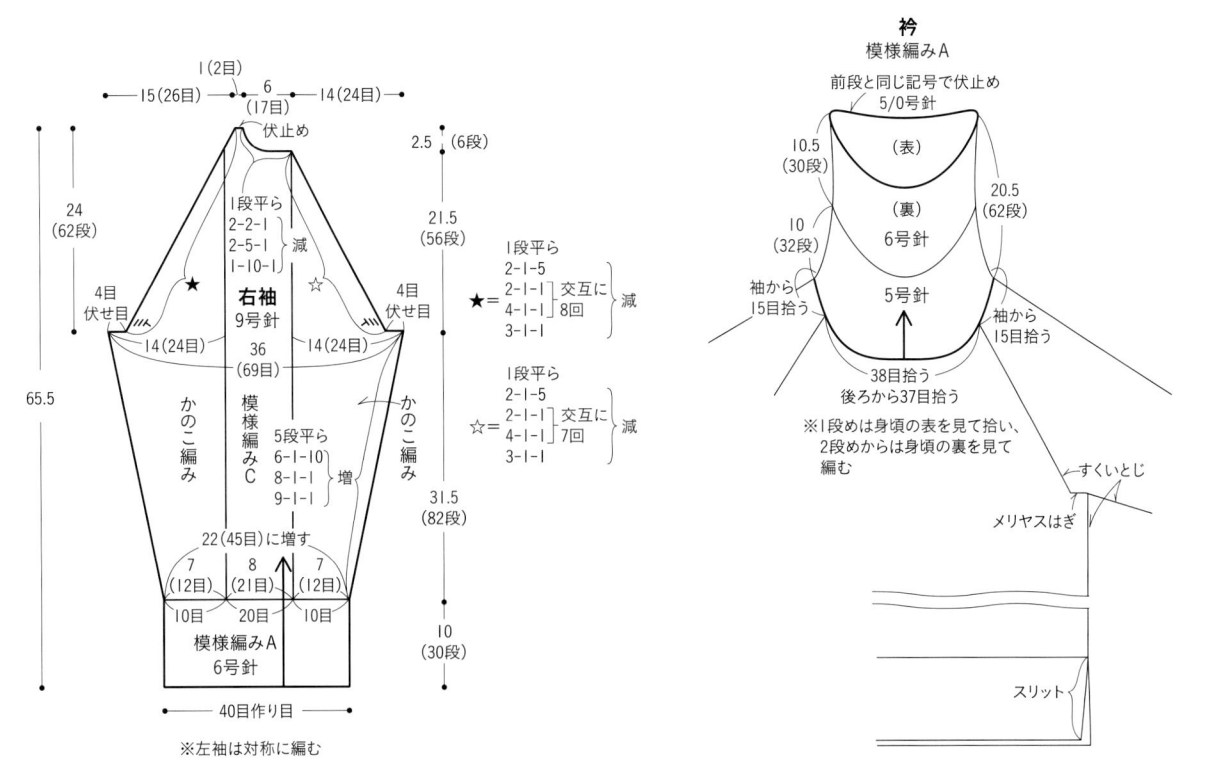

衿
模様編みA

前段と同じ記号で伏止め
5/0号針

10.5 (30段)
20.5 (62段)
10 (32段)
6号針
5号針

袖から15目拾う
袖から15目拾う
38目拾う
後ろから37目拾う

※1段めは身頃の表を見て拾い、2段めからは身頃の裏を見て編む

すくいとじ
メリヤスはぎ
スリット

右袖
9号針

1(2目) / 15(26目) / 6(17目) / 14(24目)
伏止め

1段平ら
2-2-1
2-5-1
1-10-1
減

2.5 (6段)
21.5 (56段)

1段平ら
2-1-5
2-1-1 } 交互に 8回
4-1-1
3-1-1
★ = 減

1段平ら
2-1-5
2-1-1 } 交互に 7回
4-1-1
3-1-1
☆ = 減

24 (62段)
4目伏せ目
14(24目) / 36(69目) / 14(24目)
4目伏せ目

かのこ編み / 模様編みC / かのこ編み

5段平ら
6-1-10
8-1-1
9-1-1
増

31.5 (82段)
10 (30段)

65.5

22(45目)に増す
7(12目) / 8(21目) / 7(12目)
10目 / 20目 / 10目

模様編みA 6号針

40目作り目

※左袖は対称に編む

右袖の編み方

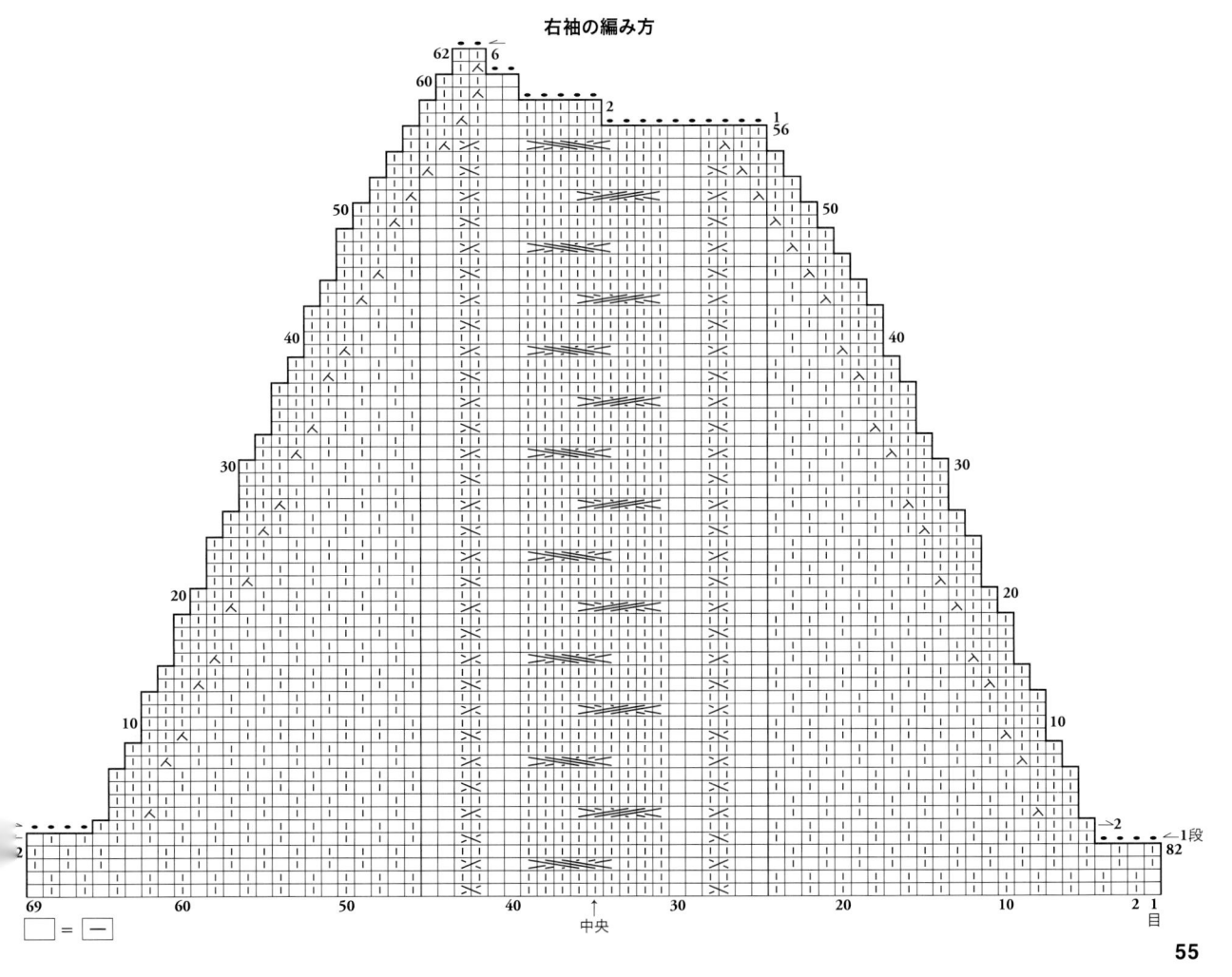

□ = —

C

ガンジー V ネックセーター
p.8/9

糸 パピー シェットランド ダークネイビー(20) 490g
針 6号、4号2本棒針　4号4本棒針　3/0号かぎ針
ゲージ 模様編みA　21目31段が10cm四方
　　　　模様編みB　10目が3cm　31段が10cm
サイズ 胸囲92cm　着丈57cm　背肩幅35cm　袖丈54.5cm
編み方 糸は1本どりで編みます。
前後身頃、袖はそれぞれ指に糸をかけて目を作る方法で作り目をし、2目ゴム編みを編みます。続けて増し目をし、模様編みA、A'、Bで編みます。肩をかぶせ引抜きはぎにし、衿ぐりから拾い目をして2目ゴム編みを輪に編み、編終わりはかぎ針を使う方法で伏止めします。脇、袖下をすくいとじにし、袖を引抜きとじでつけます。

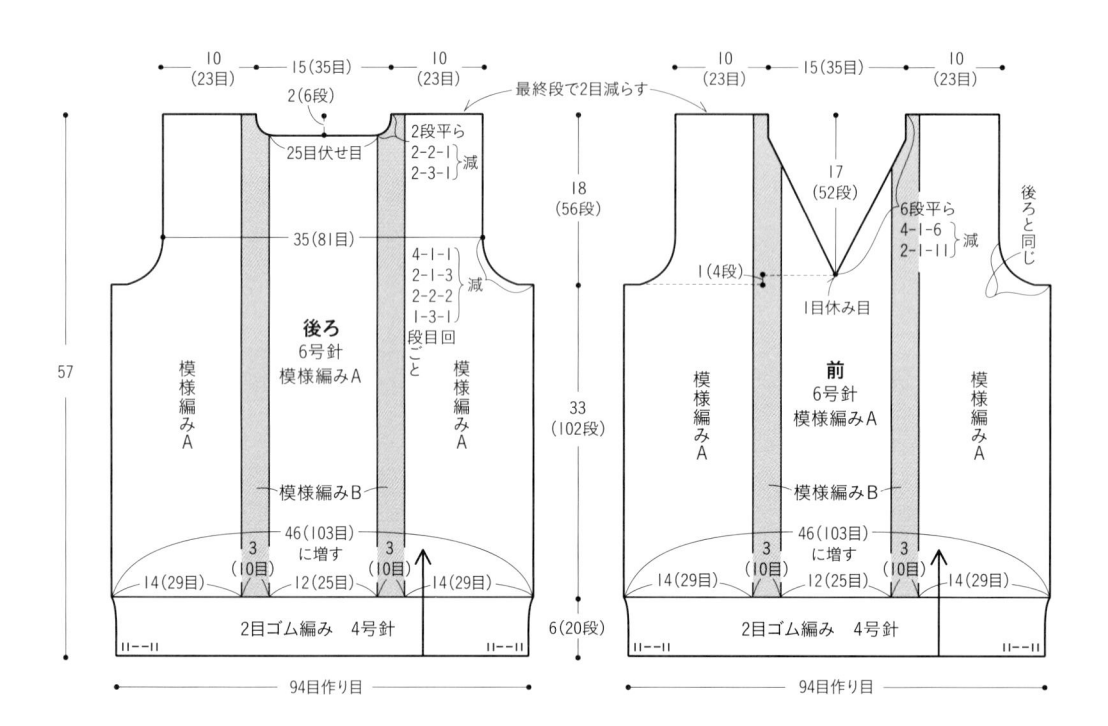

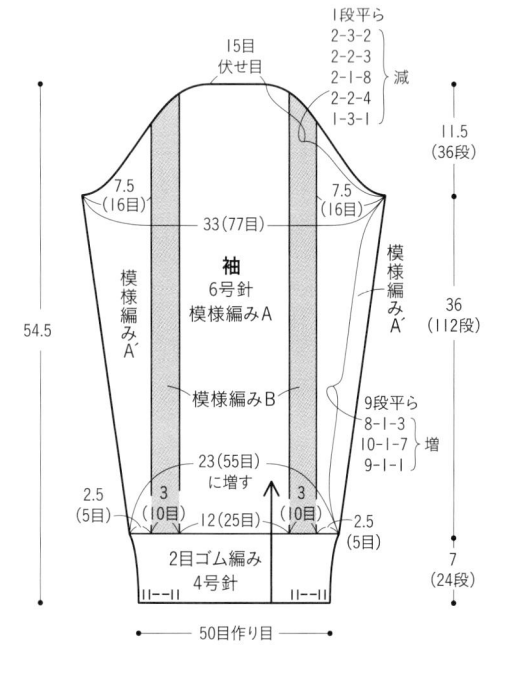

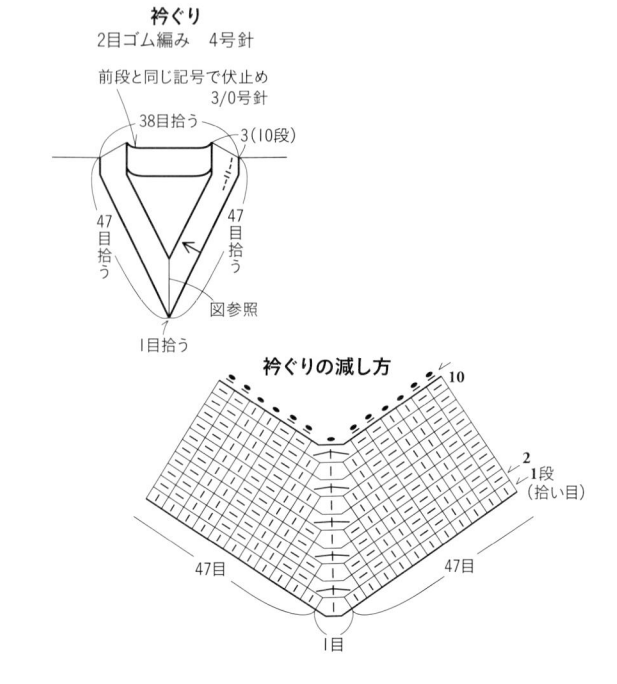

後ろ・前の編み方

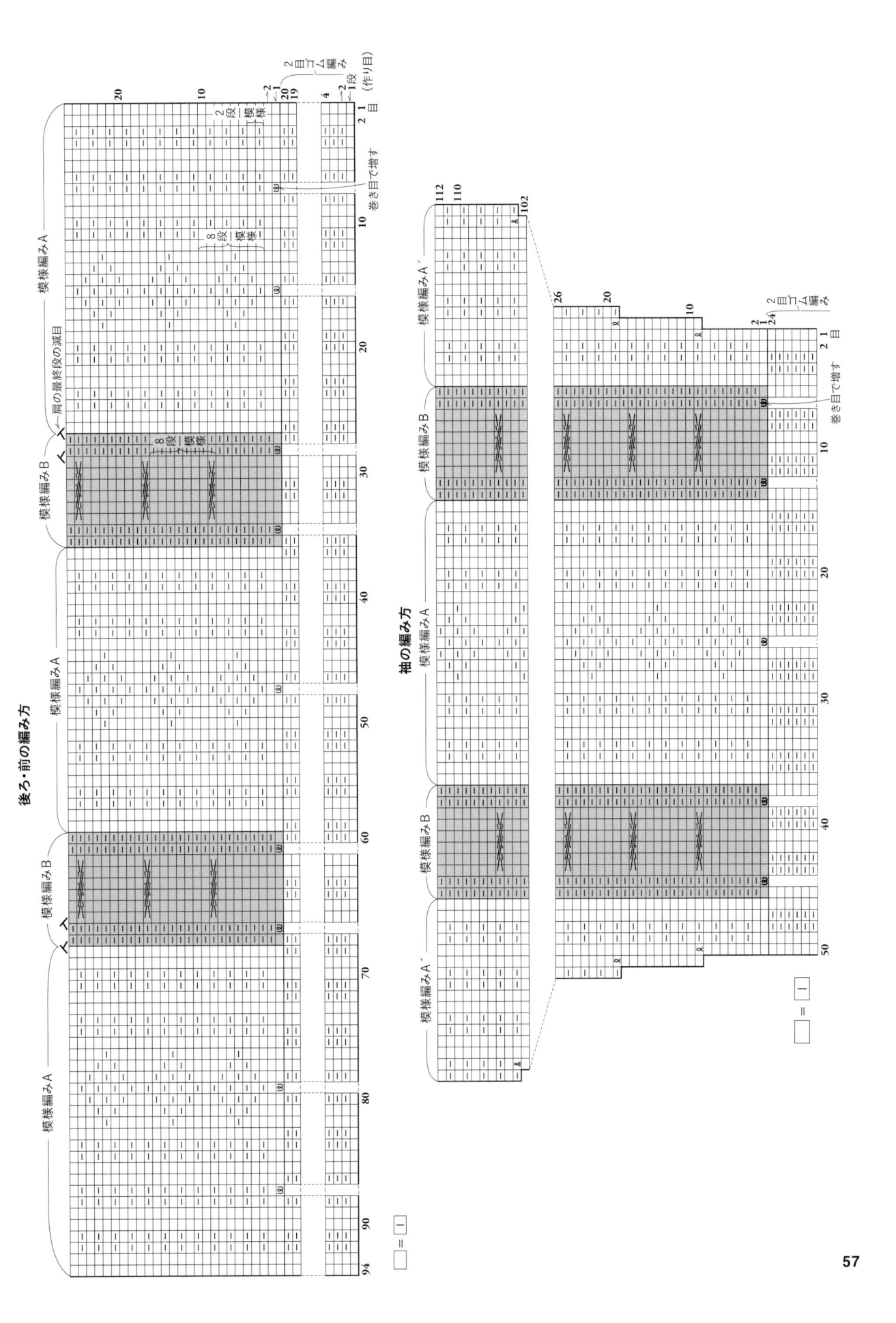

袖の編み方

D

ラグランスリーブの
アランセーター

p.10/11

糸 リッチモア スペクトルモデム　生成り（1）560g
針 8号、6号2本棒針　6号4本棒針　5/0号かぎ針
ゲージ かのこ編み　20目28段が10cm四方
　　　　模様編みB　27目28段が10cm四方
サイズ 胸囲94cm　着丈60.5cm　ゆき丈73.5cm
編み方 糸は1本どりで編みます。
前後身頃、袖はそれぞれ指に糸をかけて目を作る方法で作り目をし、模様編みAを編みます。続けて増し目をし、かのこ編み、模様編みBで図のように編みます。ラグラン線をすくいとじにし、衿ぐりから拾い目をして模様編みA'を輪に編み、編終りはかぎ針を使う方法で伏止めします。脇、袖下をすくいとじにし、伏せ目の部分をメリヤスはぎにします。

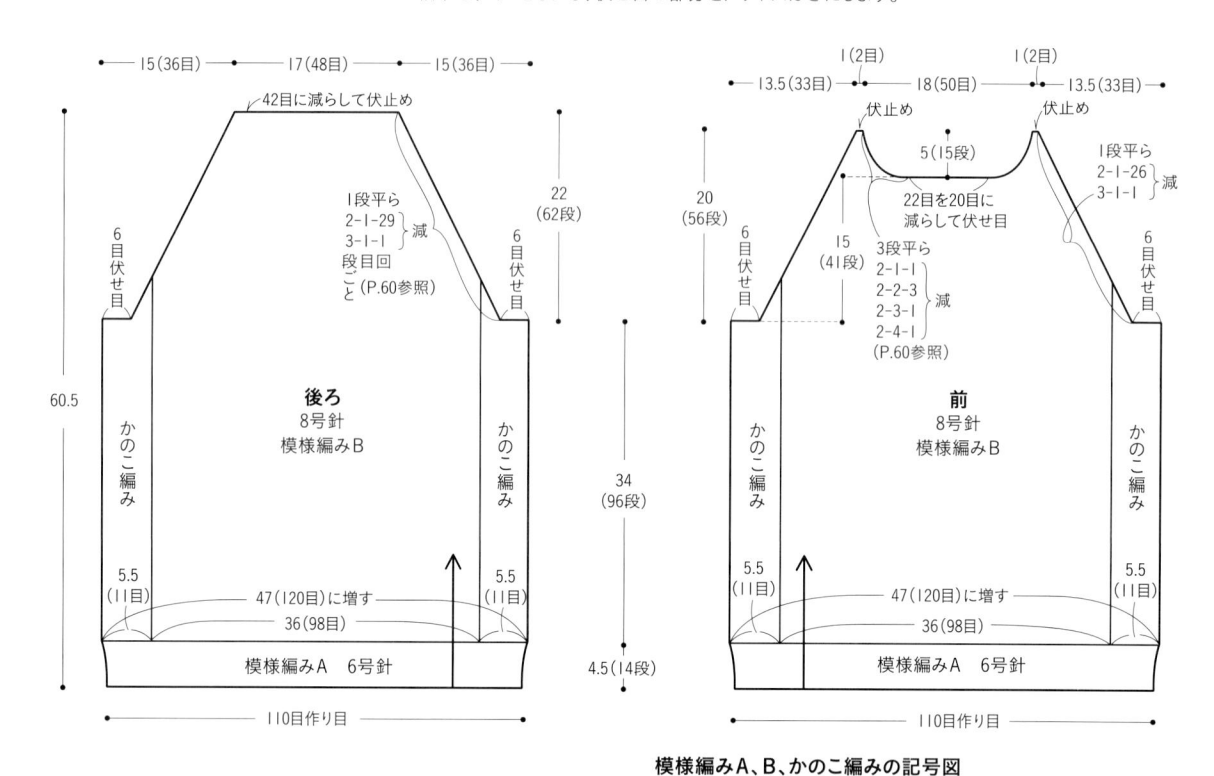

後ろ
15(36目) — 17(48目) — 15(36目)
42目に減らして伏止め
1段平ら
2-1-29
3-1-1 減
段目ごと（P.60参照）
22(62段)
6目伏せ
6目伏せ
60.5
かのこ編み
かのこ編み
8号針
模様編みB
34(96段)
5.5(11目)
5.5(11目)
47(120目)に増す
36(98目)
模様編みA　6号針
4.5(14段)
110目作り目

前
13.5(33目) — 1(2目) — 18(50目) — 1(2目) — 13.5(33目)
伏止め　伏止め
5(15段)
1段平ら
2-1-26
3-1-1 減
20(56段)
22目を20目に減らして伏止め
6目伏せ
6目伏せ
15(41段)
3段平ら
2-1-2
2-2-3
2-3-1 減
2-4-1
（P.60参照）
前
8号針
模様編みB
かのこ編み
かのこ編み
5.5(11目)
5.5(11目)
47(120目)に増す
36(98目)
模様編みA　6号針
110目作り目

模様編みA、B、かのこ編みの記号図

かのこ編み
後ろ、前の模様編みB（9
袖の模様編みB（2

袖は編まない

□ = —

58

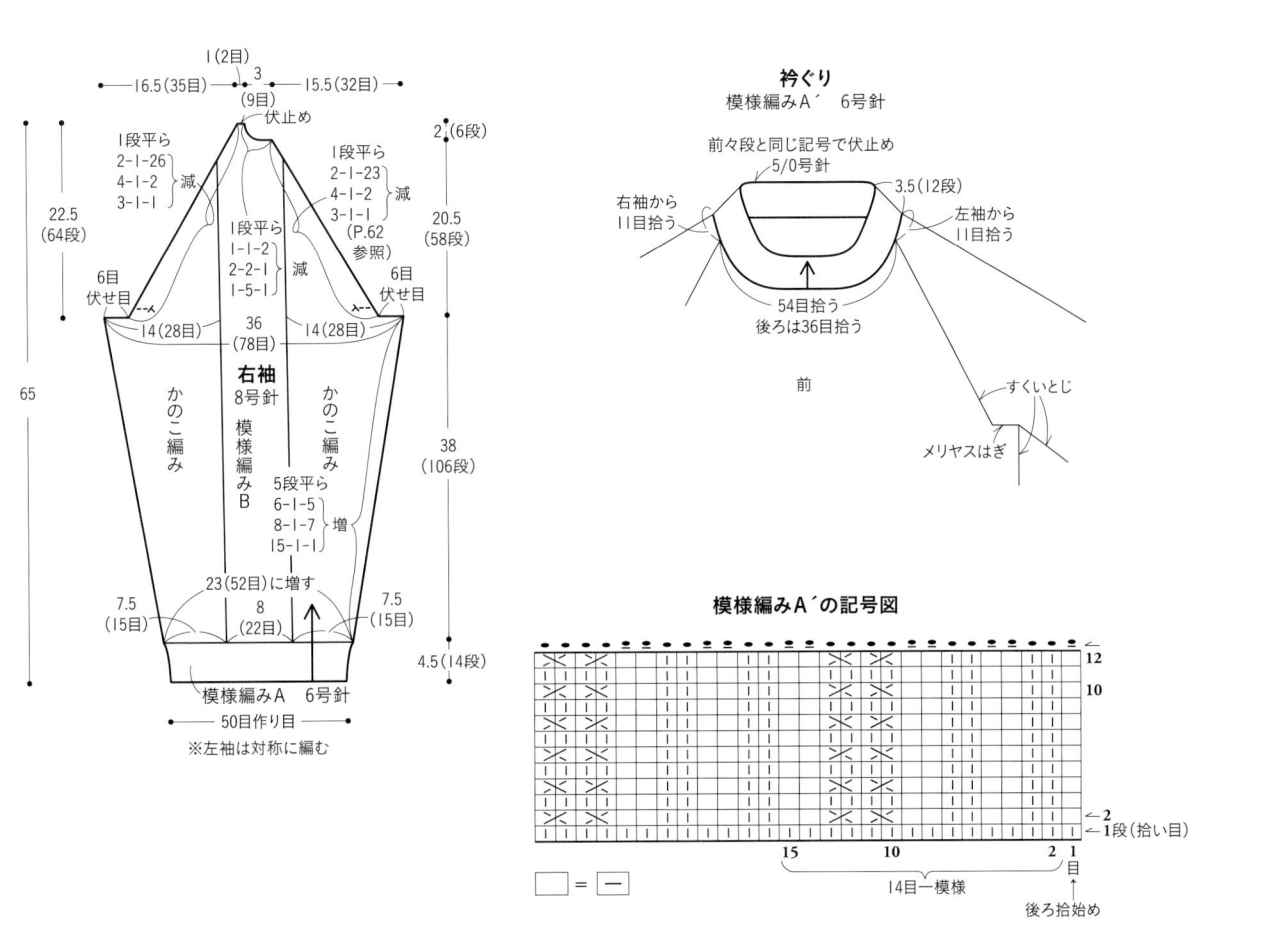

衿ぐり
模様編みA´　6号針

前々段と同じ記号で伏止め
5/0号針

右袖から11目拾う　　3.5(12段)　左袖から11目拾う

54目拾う
後ろは36目拾う

前

すくいとじ
メリヤスはぎ

右袖
8号針
模様編みB
かのこ編み

- 16.5(35目) / 1(2目) / 3 / 15.5(32目)
- 9目 伏止め
- 22.5(64段)
- 1段平ら 2-1-26 4-1-2 3-1-1 減
- 1段平ら 2-1-23 4-1-2 3-1-1 減 (P.62参照)
- 2(6段)
- 20.5(58段)
- 1段平ら 1-1-2 2-2-1 1-5-1 減
- 6目伏せ目
- 6目伏せ目
- 14(28目) / 36(78目) / 14(28目)
- 65
- 38(106段)
- 5段平ら 6-1-5 8-1-7 15-1-1 増
- 23(52目)に増す
- 8(22目)
- 7.5(15目)
- 7.5(15目)
- 4.5(14段)
- 模様編みA　6号針
- 50目作り目
- ※左袖は対称に編む

模様編みA´の記号図

□ = —

14目一模様

15 / 10 / 2 / 1目
←2段
←1段(拾い目)
後ろ拾始め

かのこ編み

16段一模様
8段一模様
4段一模様
4段一模様
4段一模様

模様編みA
14 / 10 / 6 / 3 / 2 / 1段(作り目)
2 / 1目
袖編始め
後ろ・前編始め

巻き目で増す
袖は編まない

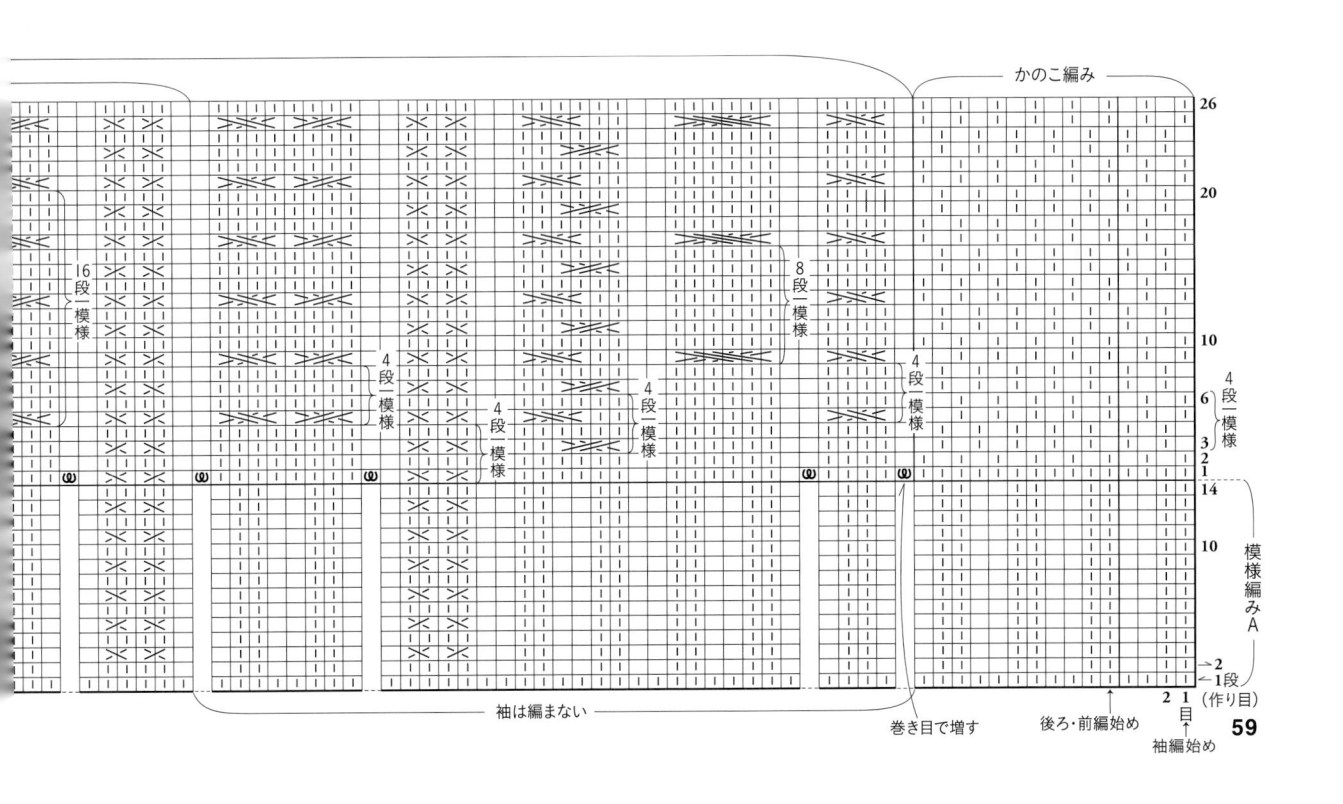

前のラグラン線の編み方と衿ぐりの拾い方

□ = ―

糸をつける

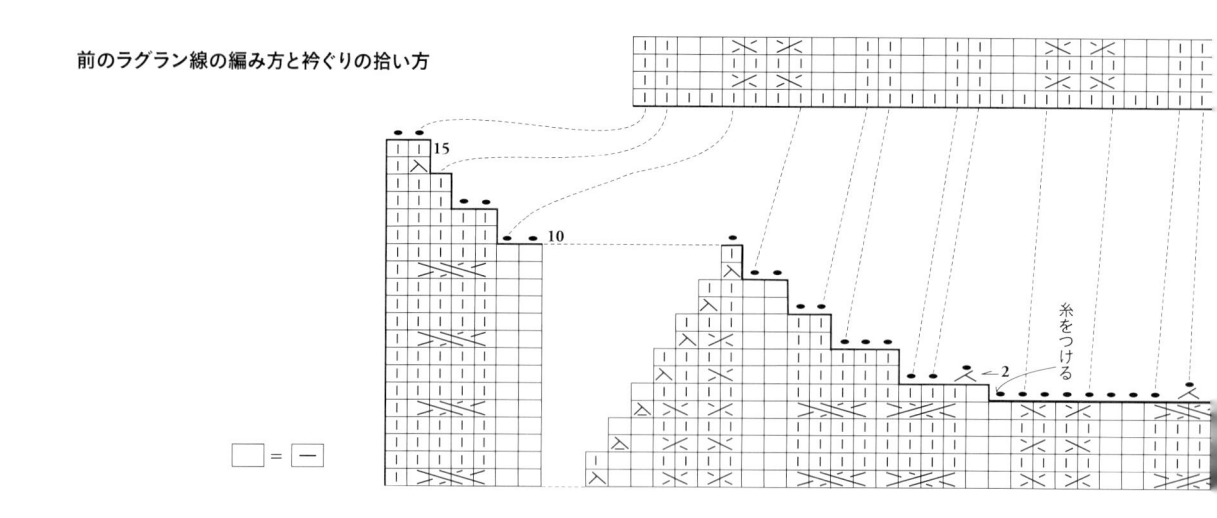

後ろのラグラン線の編み方と衿ぐりの拾い方

□ = ―

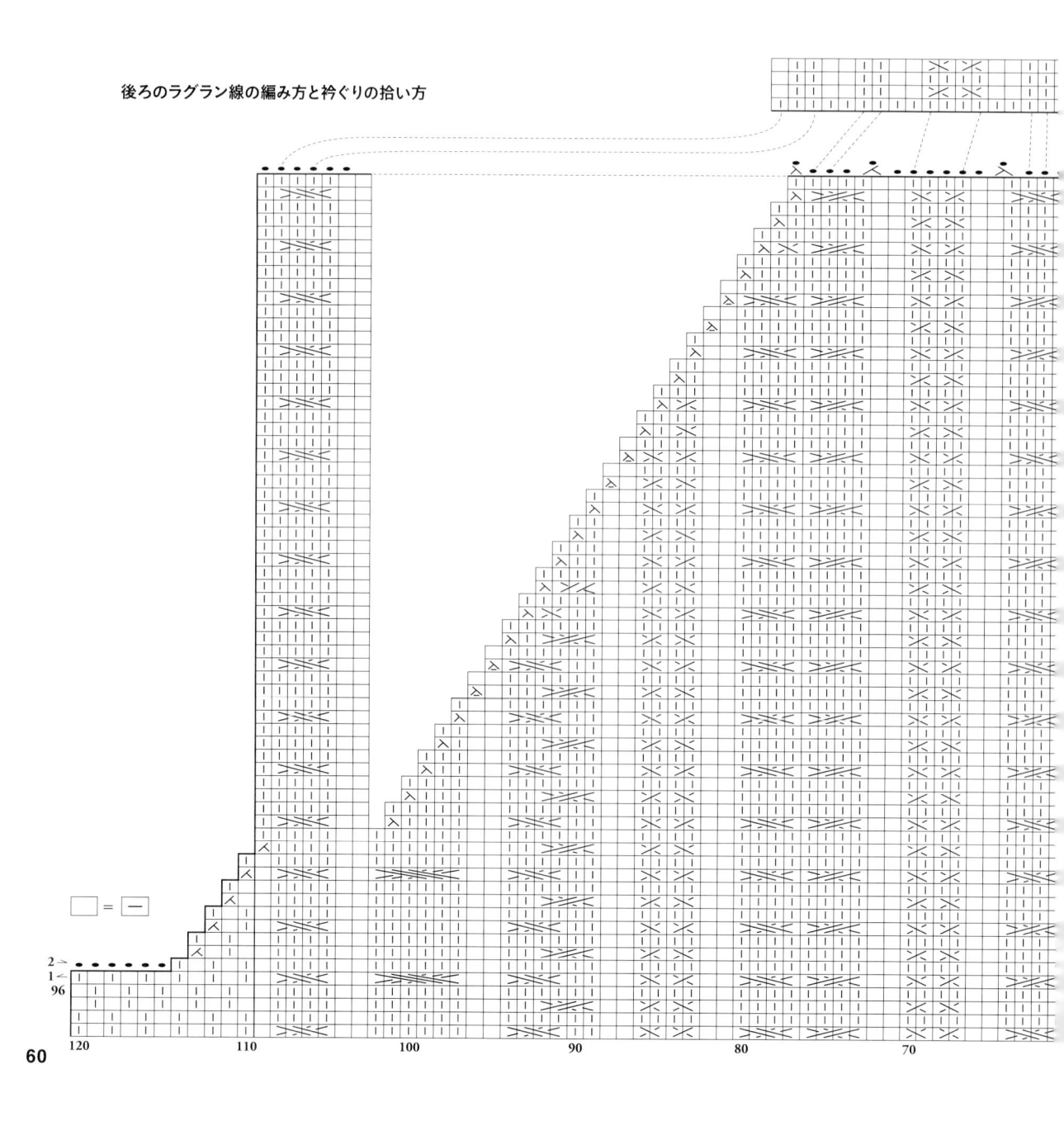

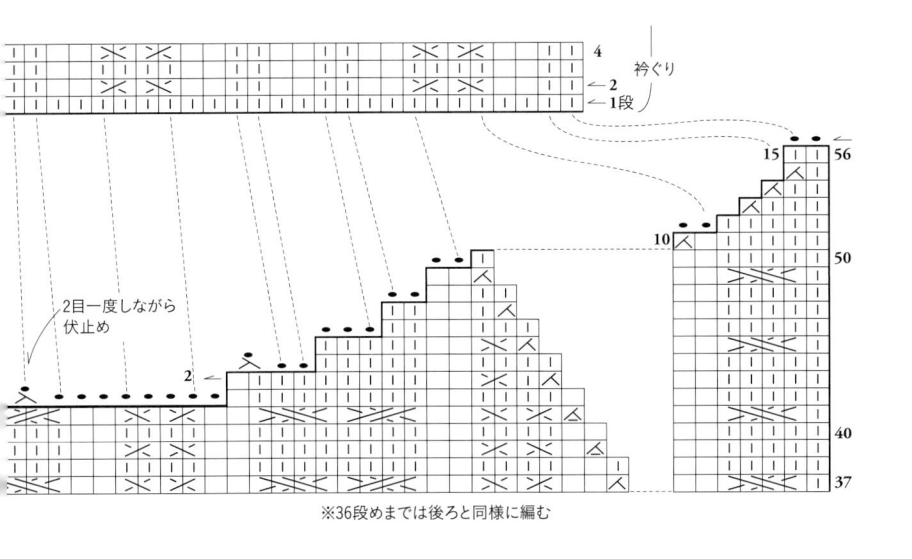

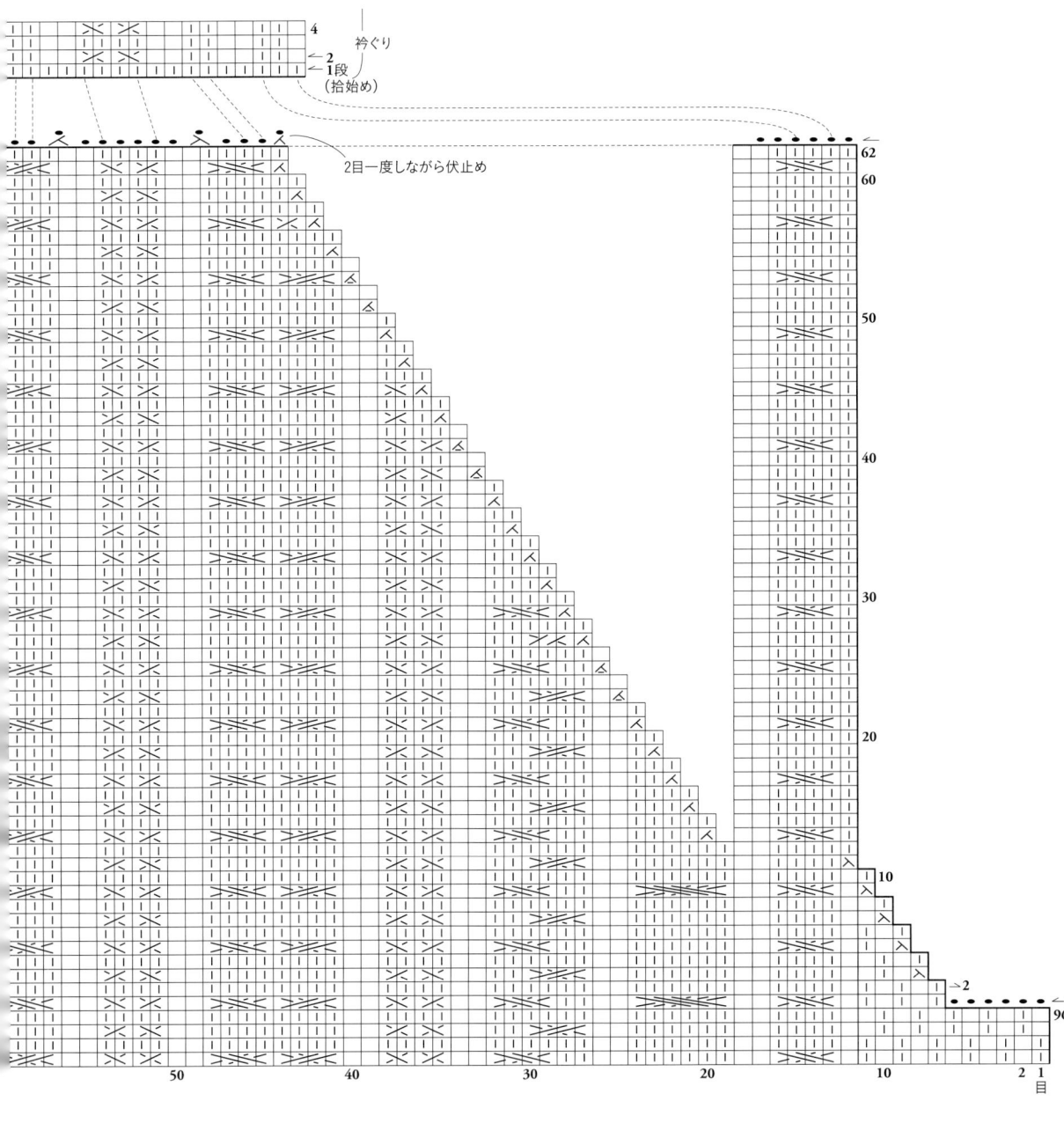

※36段めまでは後ろと同様に編む

右袖のラグラン線の編み方と衿ぐりの拾い目

左袖のラグラン線の編み方と衿ぐりの拾い目

E

メンズアランジャケット
p.12/13

糸 パピー ブリティッシュエロイカ ベージュ(134) 870g
針 10号、7号2本棒針 6/0号かぎ針
付属品 直径2cmのボタン6個
ゲージ かのこ編み 18目22段が10cm四方 模様編みB 10目が4.5cm 22段が10cm
模様編みC、C' 10目が5.5cm 22段が10cm 模様編みD 28目22段が10cm四方
サイズ 胸囲109.5cm 着丈69cm ゆき丈82cm
編み方 糸は1本どりで編みます。
前後身頃、袖はそれぞれ指に糸をかけて目を作る方法で作り目をし、2目ゴム編みを編みます。続けて増し目をし、かのこ編み、模様編みA～Dで編みますが、前身頃はポケットあきに別糸を編み込みます。ポケットあきの別糸をほどいて拾い目をし、ポケット口(編終りはかぎ針を使う方法で伏止め)とポケット裏を編んでとじつけます。ラグラン線をすくいとじにします。脇、袖下をすくいとじにし、伏せ目の部分をメリヤスはぎにします。衿・前立ては後ろ中央で同様に作り目をし、左側には1目ゴム編みでボタン穴をあけながら編みます。右側は衿の表になる側を見ながら作り目から拾い目をして編み、目と段のはぎ、すくいとじでつけます。ボタンをつけます。

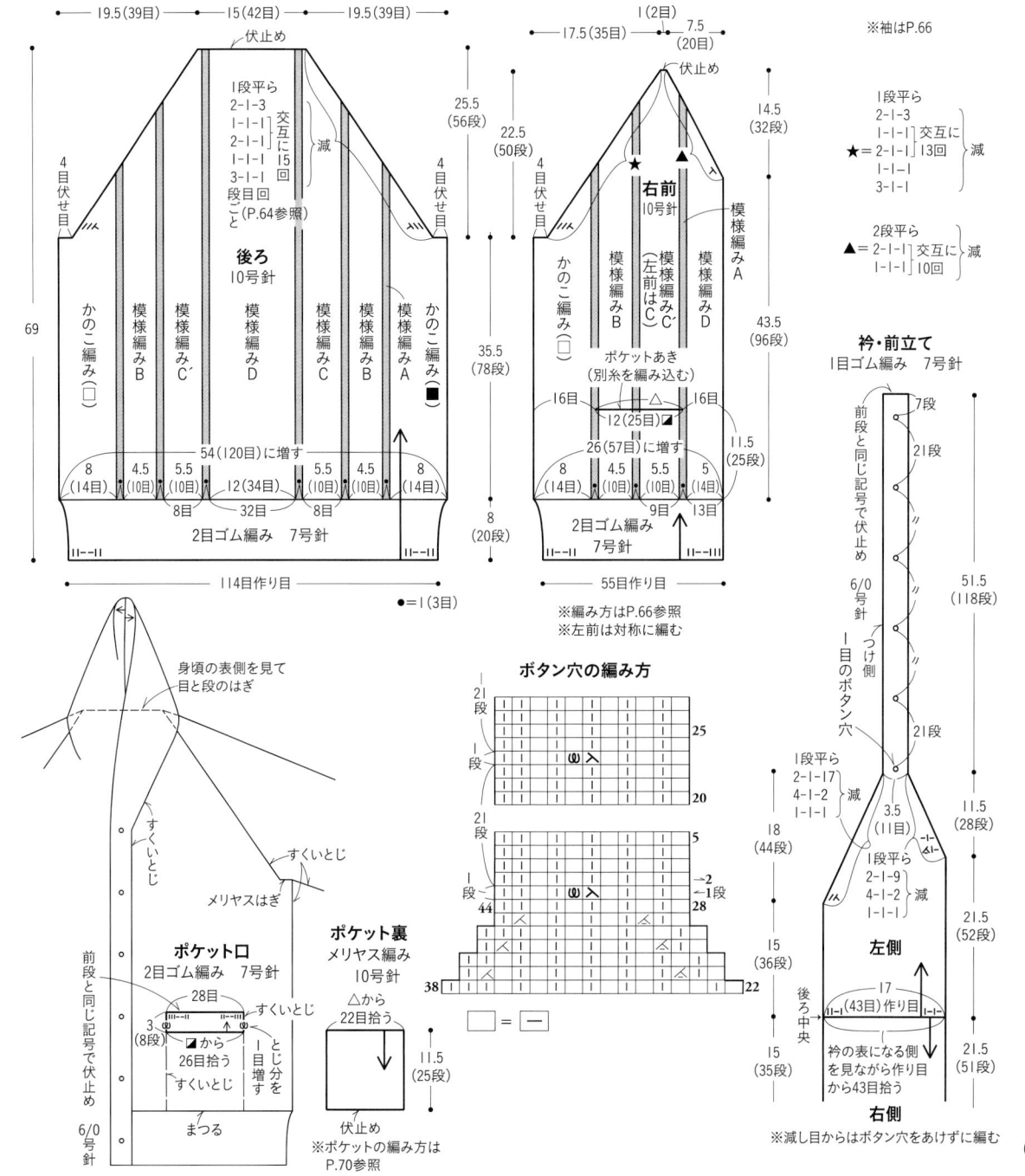

後ろラグラン線の編み方

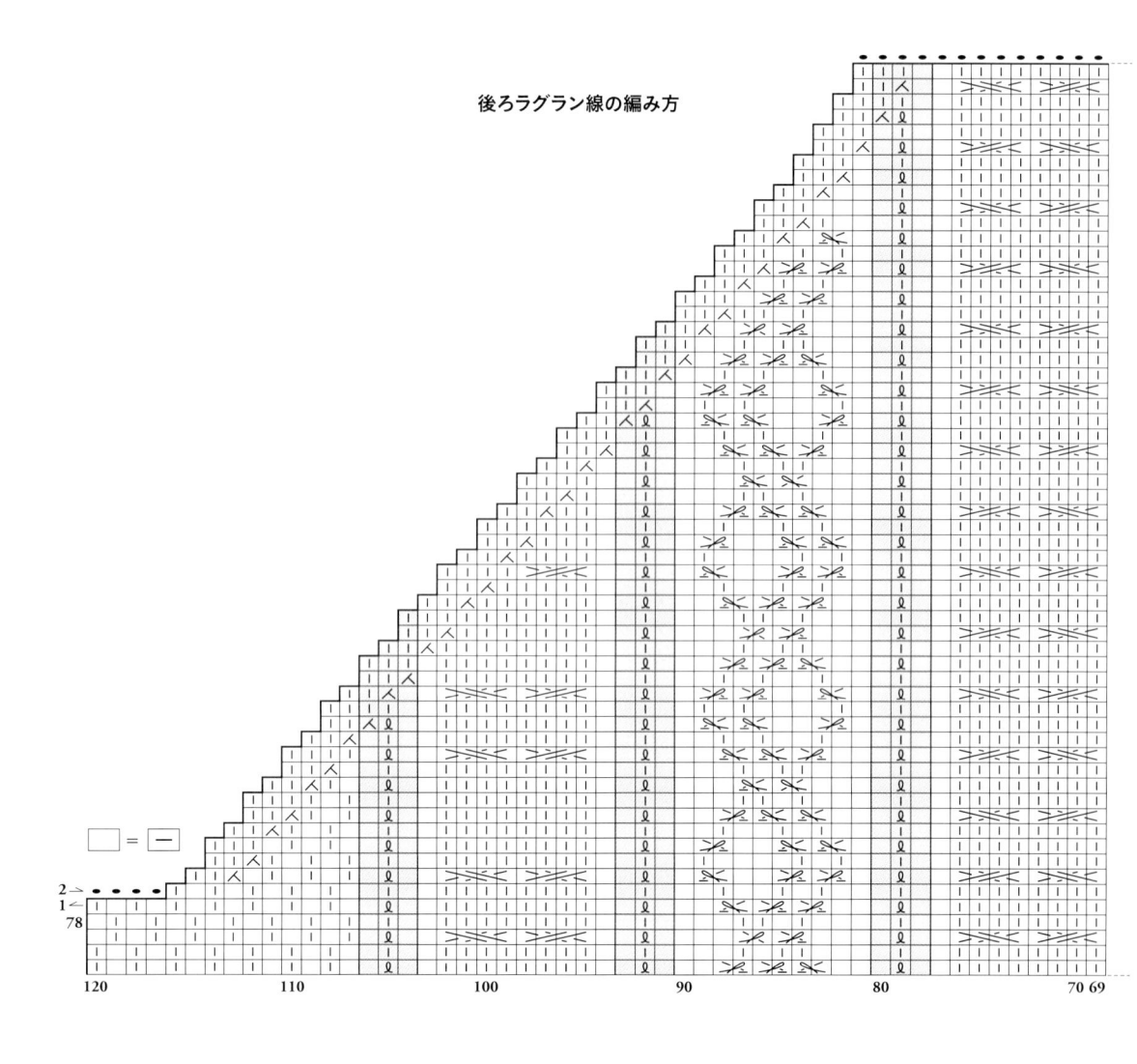

模様編みA〜Dの記号図

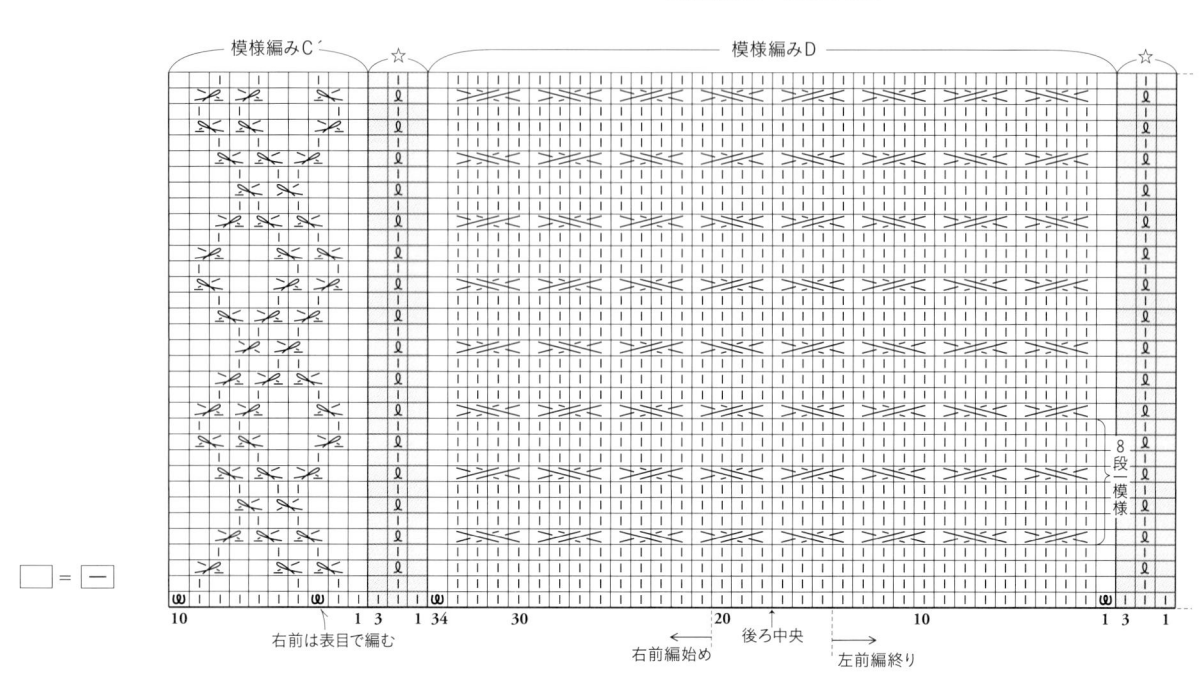

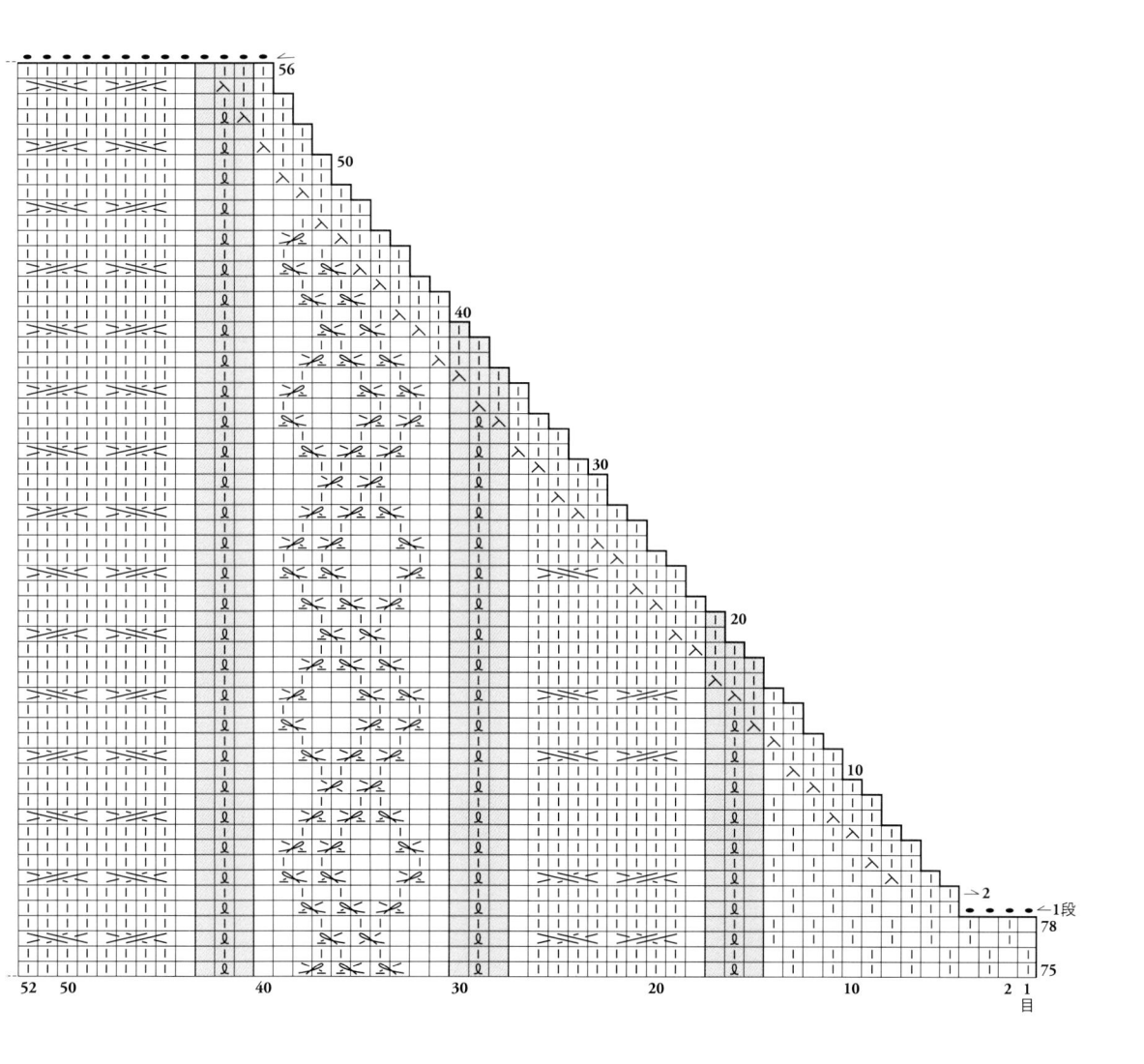

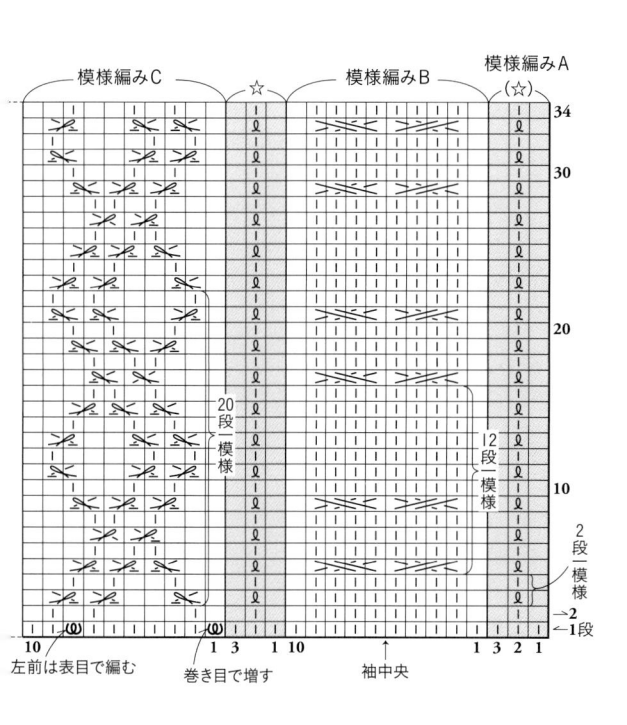

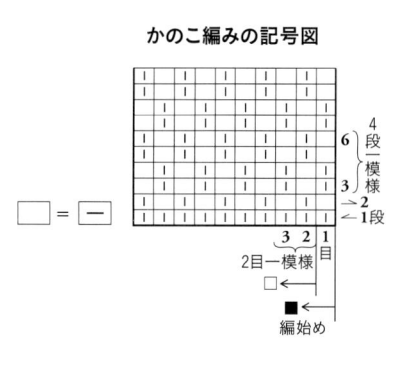

模様編みC | ☆ | 模様編みB | 模様編みA (☆)

かのこ編みの記号図

20段一模様
12段一模様
2段一模様

左前は表目で編む
巻き目で増す
袖中央

2目一模様
編始め

65

右前の編み方

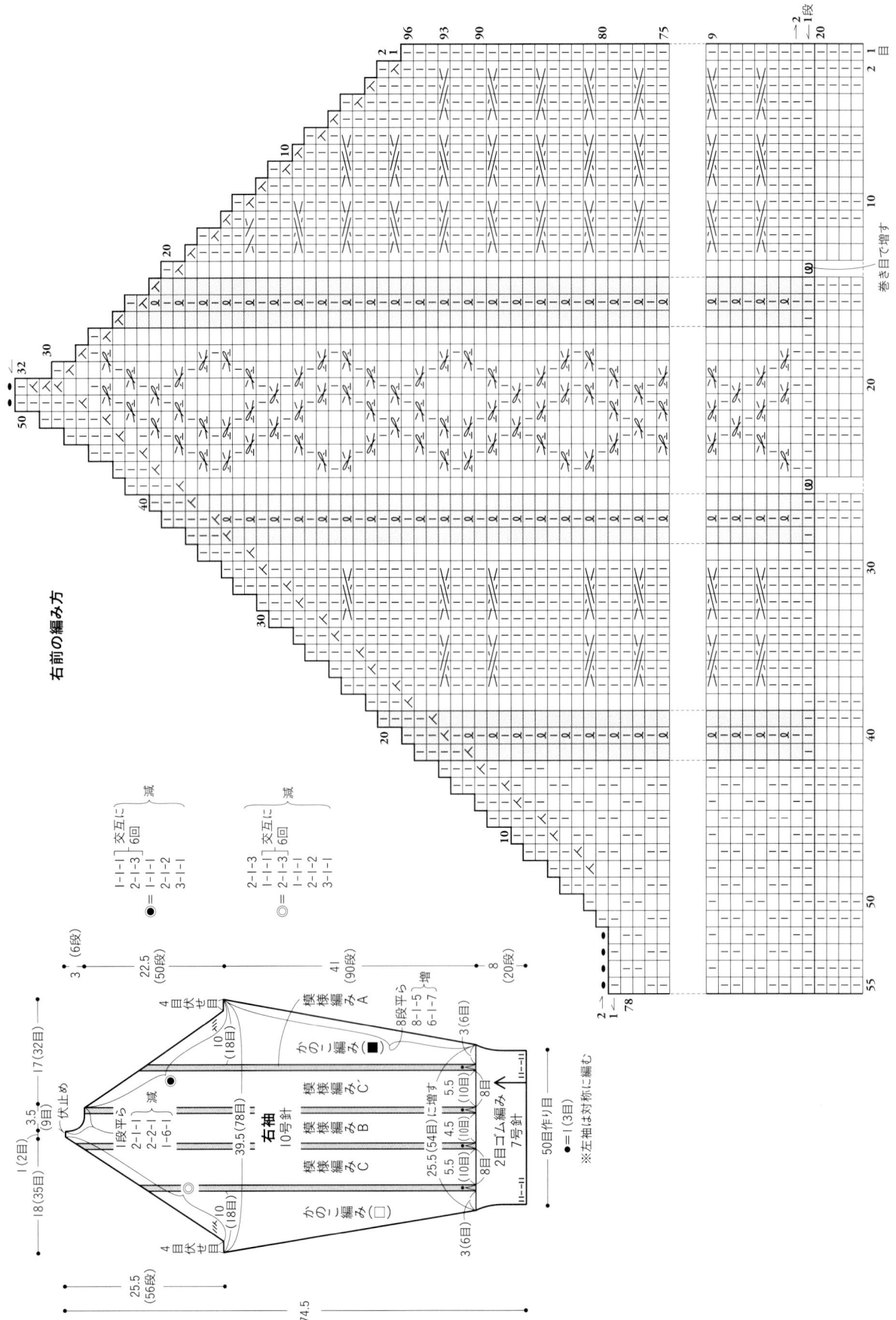

右袖の編み方

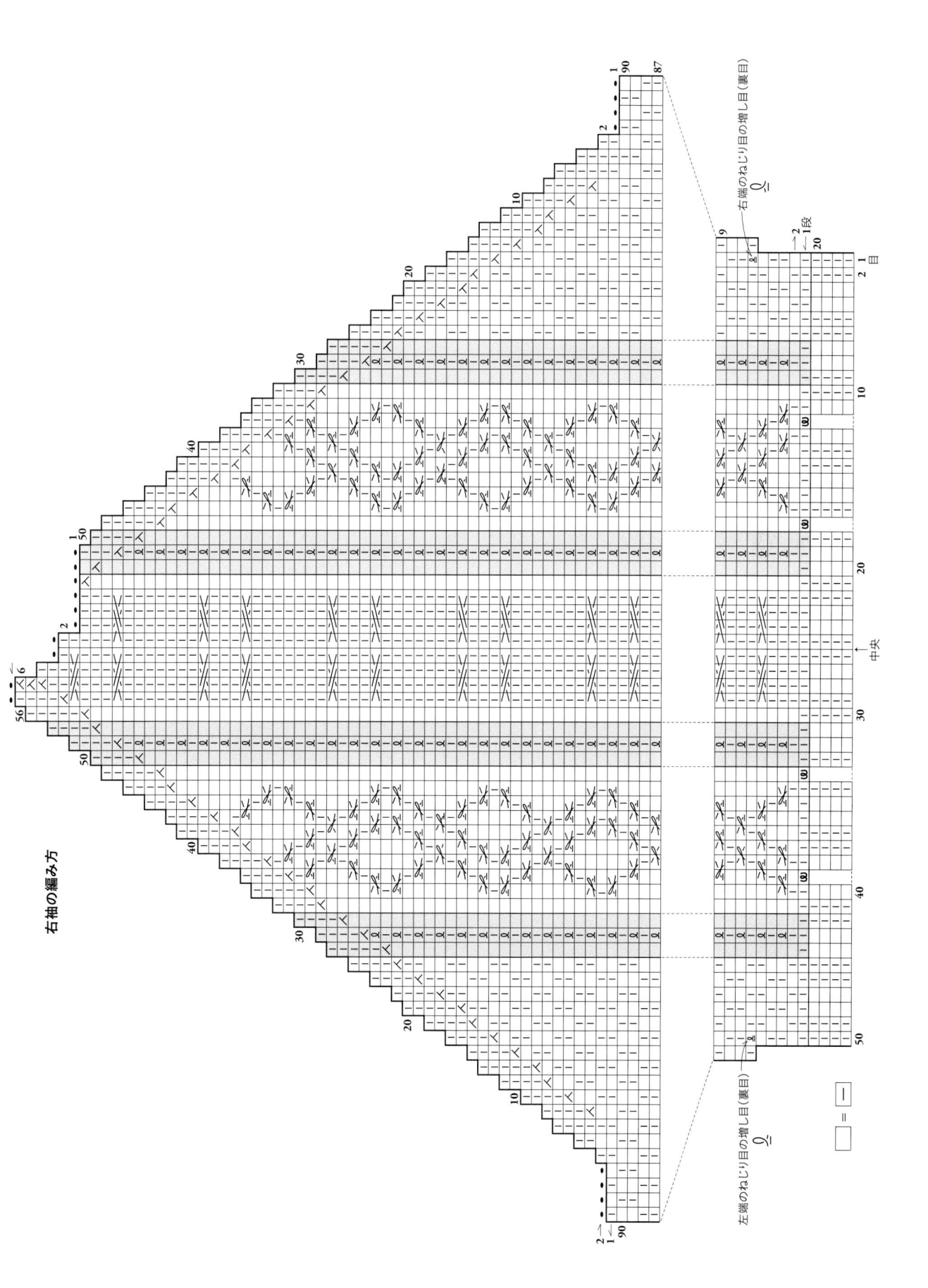

F

アランロングマフラー
p.14/15

糸 ブルックリンツィード　シェルター
FADED QUILT 310g
針 9号、6号2本棒針　5/0号かぎ針
ゲージ 模様編み　27目26.5段が10cm四方
サイズ 幅27cm　長さ181cm
編み方 糸は1本どりで編みます。

指に糸をかけて目を作る方法で作り目をし、2目ゴム編みを編みます。続けて増し目をし、模様編みを増減なく編みます。減目をして2目ゴム編みを編み、編終りは裏を見ながらかぎ針を使う方法で伏止めします。

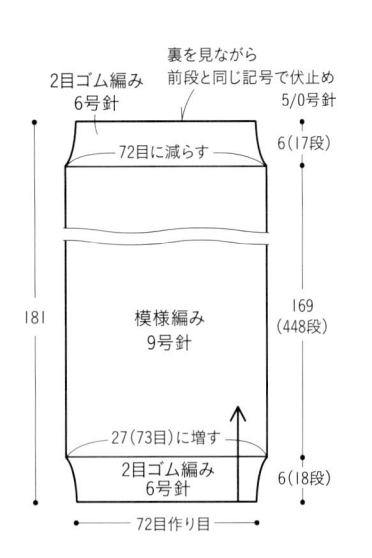

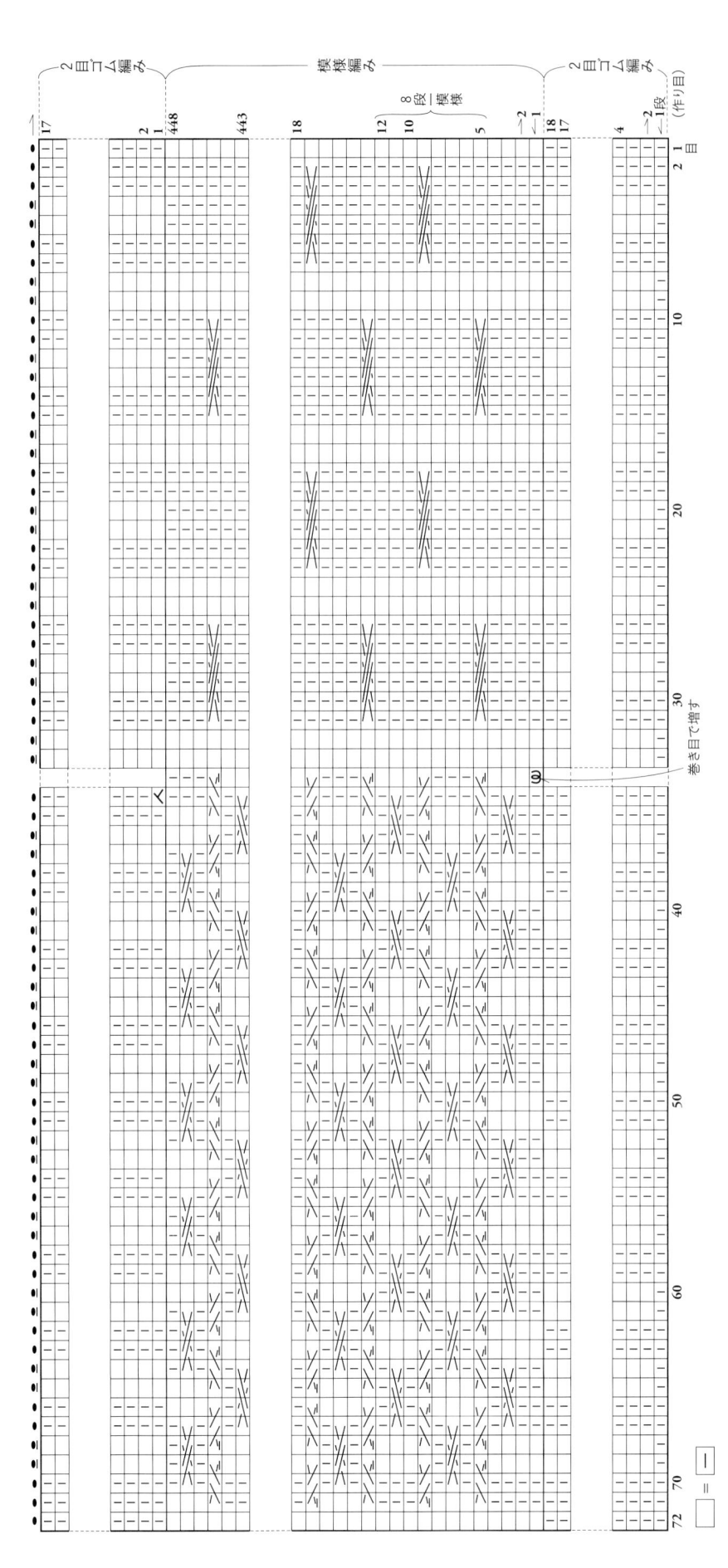

J

アランジャケット
p.22/23

糸　パピー ブリティッシュエロイカ　ワイン 730g
針　10号、7号、6号2本棒針　6/0号かぎ針
付属品　直径2.2cmのボタン7個
ゲージ　かのこ編み　17目22段が10cm四方
　　　　模様編みA　18目が7.5cm　22段が10cm
　　　　模様編みC　23目22段が10cm四方
サイズ　胸囲97cm　着丈64cm　背肩幅36cm　袖丈55.5cm
編み方　糸は1本どりで編みます。
前後身頃、袖はそれぞれ指に糸をかけて目を作る方法で作り目をし、2目ゴム編み、ガーター編みを編みます。続けて増し目をし、かのこ編み、模様編みA〜Cで編みますが、前身頃はポケットあきに別糸を編み込みます。ポケットあきの別糸をほどいて拾い目をし、ポケット口（編終りはかぎ針を使う方法で伏止め）とポケット裏を編んでとじつけます。肩をかぶせ引抜きはぎにし、脇、袖下をすくいとじにします。前立ては前端から拾い目をし、2目ゴム編みを編みますが、右前にはボタン穴をあけながら編み、編終りは伏止めします。衿は身頃の表側を見ながら拾い目をし、模様編みDで全体で増しながら編みます。袖を引抜きとじでつけ、ボタンをつけます。

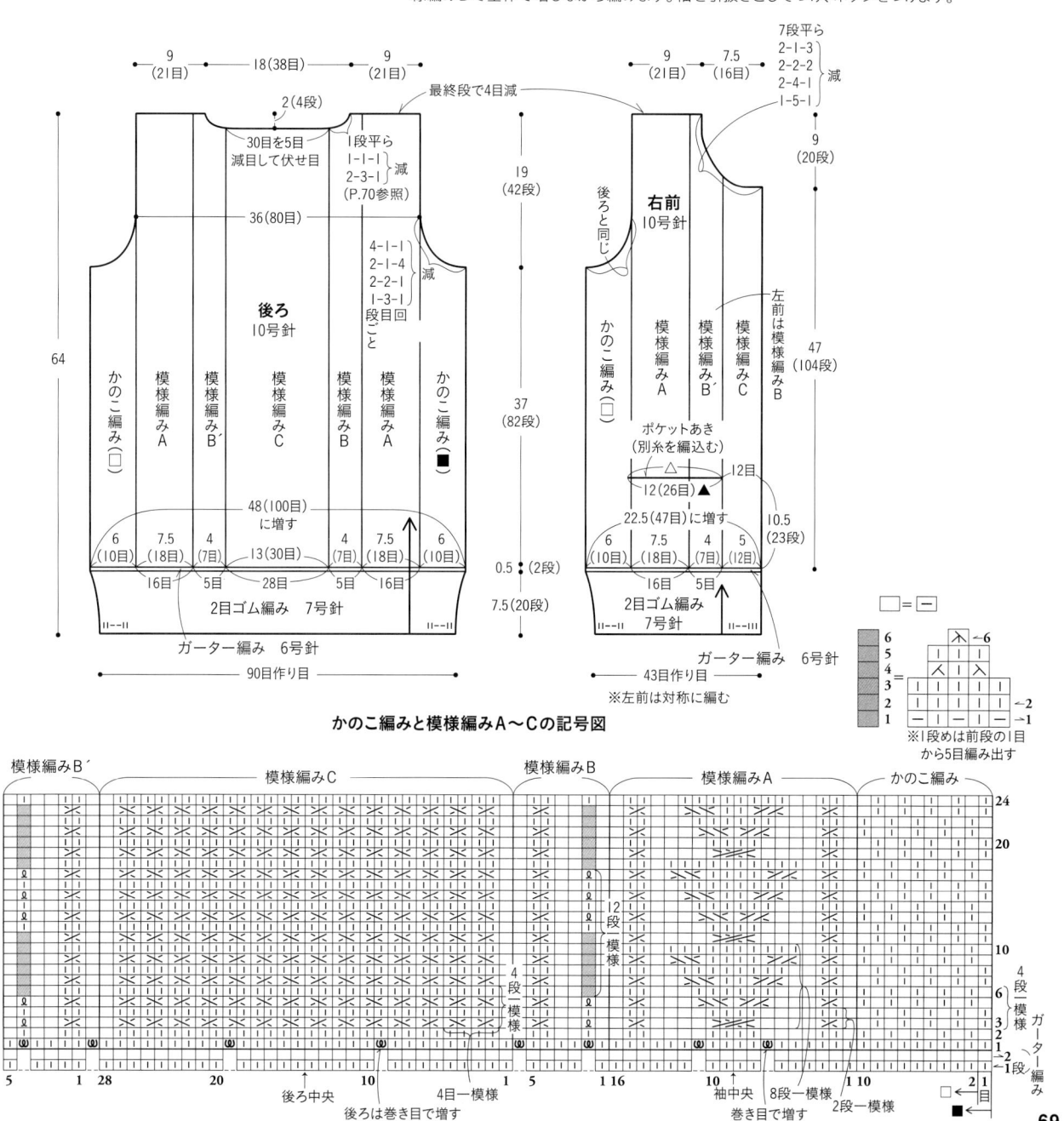

ポケットの編み方

※目数と編み地の模様は作品と異なります。
指定の目数に増減して拾います。

1
別糸 / 休めていた糸

ポケット口の手前で糸を休め、別糸でポケット口の指定の目数を編む。
別糸で編んだ目を左針に移し、休めておいた糸で、別糸で編んだ目を編む

2
巻き目 / 巻き目

別糸をほどき、上を向いている目は針にとり、下を向いている目は別糸を通して休める。
針にとった目の両端でとじ代分を1目ずつ巻き目で増し、ポケット口を編む

後ろ衿ぐりと肩の最終段の減し方

衿
模様編みD　7号針
前段と同じ記号で伏止め　6/0号針

14(34段)
124目
(表)(裏)
10段平ら
12-12-2増
図参照
30目拾う
後ろから40目拾う
5段
4目
15段

前立て
2目ゴム編み　7号針
一目のボタン穴
108目拾う
前段と同じ記号で伏止め
15段
7段
6/0号針
4(10段)

ポケット口
2目ゴム編み　7号針
前段と同じ記号で伏止め　6/0号針
3(8段)
24目
▲から22目拾う
すくいとじ
まつる
とじ分を一目増す

ポケット裏
メリヤス編み　10号針
△から22目拾う
10.5(22段)
伏止め

袖
10号針
16目伏止め
1段平ら
2-3-1
2-2-3
2-1-3
2-2-1
2-1-1
2-2-3
1-3-1 減
12(26段)
13.5(23目)　13.5(23目)
34.5(64目)
模様編みA
かのこ編み(□)　かのこ編み(□)
36(80段)
55.5
22.5(44目)に増す
7.5(13目)　7.5(18目)　7.5(13目)
16目
2目ゴム編み　7号針
42目作り目
ガーター編み　6号針
7段平ら
6-1-3
8-1-6
7-1-1 増
0.5(2段)
7(18段)

右前立てのボタン穴の編み方

※左前立てはボタン穴を作らずに2目ゴム編みを編む

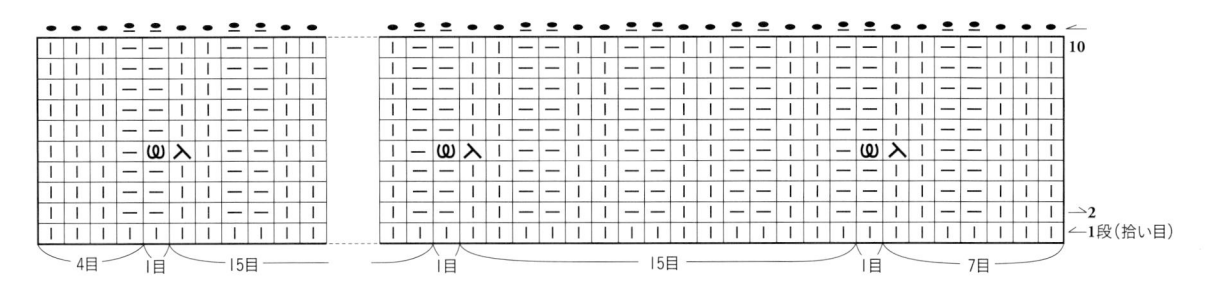

衿の模様編みDの編み方

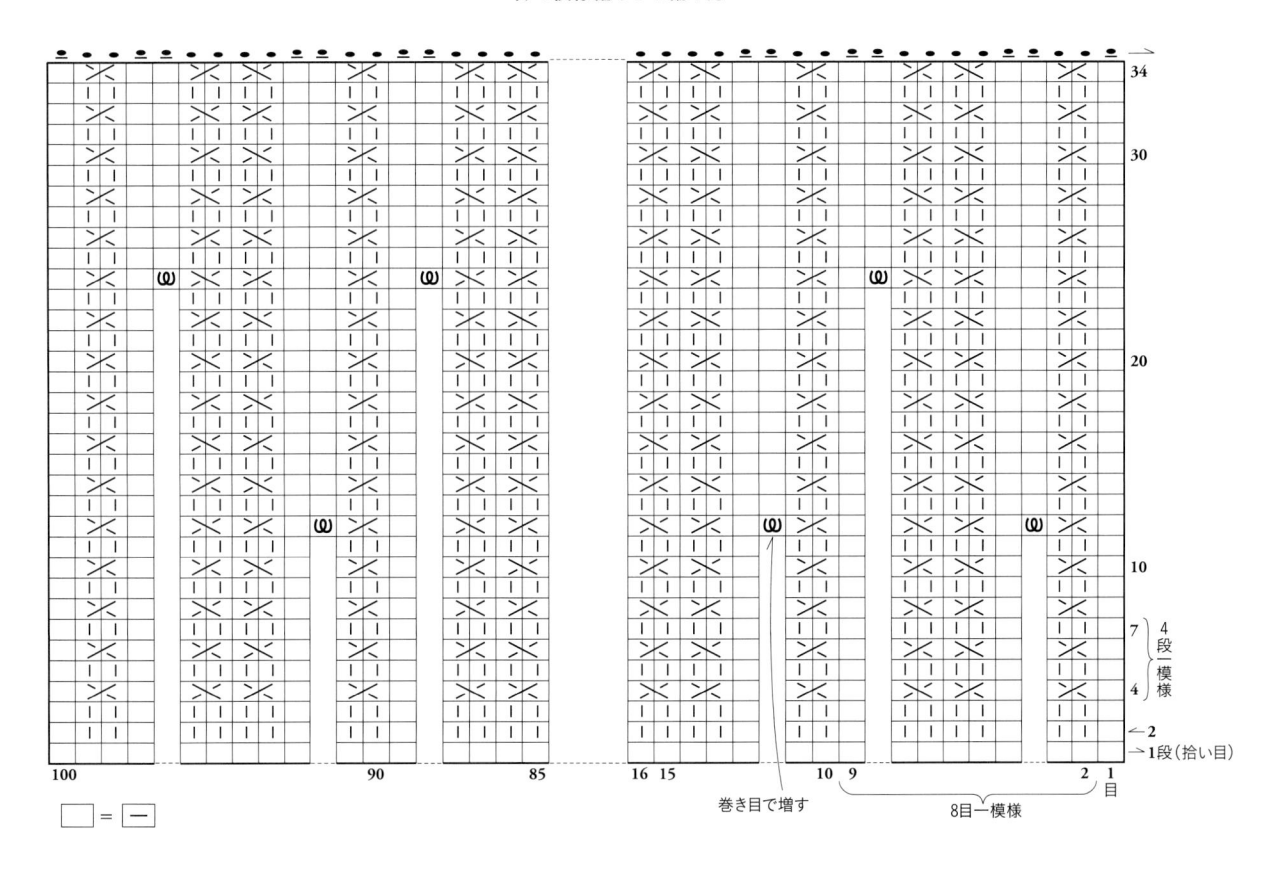

G

赤のガンジーセーター
p.16/17

糸 リッチモア カシミヤ 赤(110) 280g
針 4号、2号2本棒針 2号4本棒針 2/0号かぎ針
ゲージ メリヤス編み 25目38段が10cm四方
　　　　模様編みA〜D 25目40段が10cm四方
サイズ 胸囲94cm 着丈61cm ゆき丈72.5cm
編み方 糸は1本どりで編みます。
前後身頃はそれぞれ指に糸をかけて目を作る方法で作り目をし、ガーター編み、メリヤス編み、模様編みA〜Dで編みます。肩をかぶせ引抜きはぎにします。袖は前後身頃から拾い目をし、メリヤス編み、模様編みC、B、ガーター編みで編み、編終わりは裏を見ながらかぎ針を使う方法で表目で伏止めします。衿ぐりから拾い目をしてガーター編みを輪に編み、編終わりは裏を見ながら表目で伏止めします。袖と身頃の合い印を目と段のはぎにし、脇、袖下をすくいとじにしますが、脇はスリット止までとじます（※カシミヤの糸は切れやすいので、よりをかけながらとじる）。

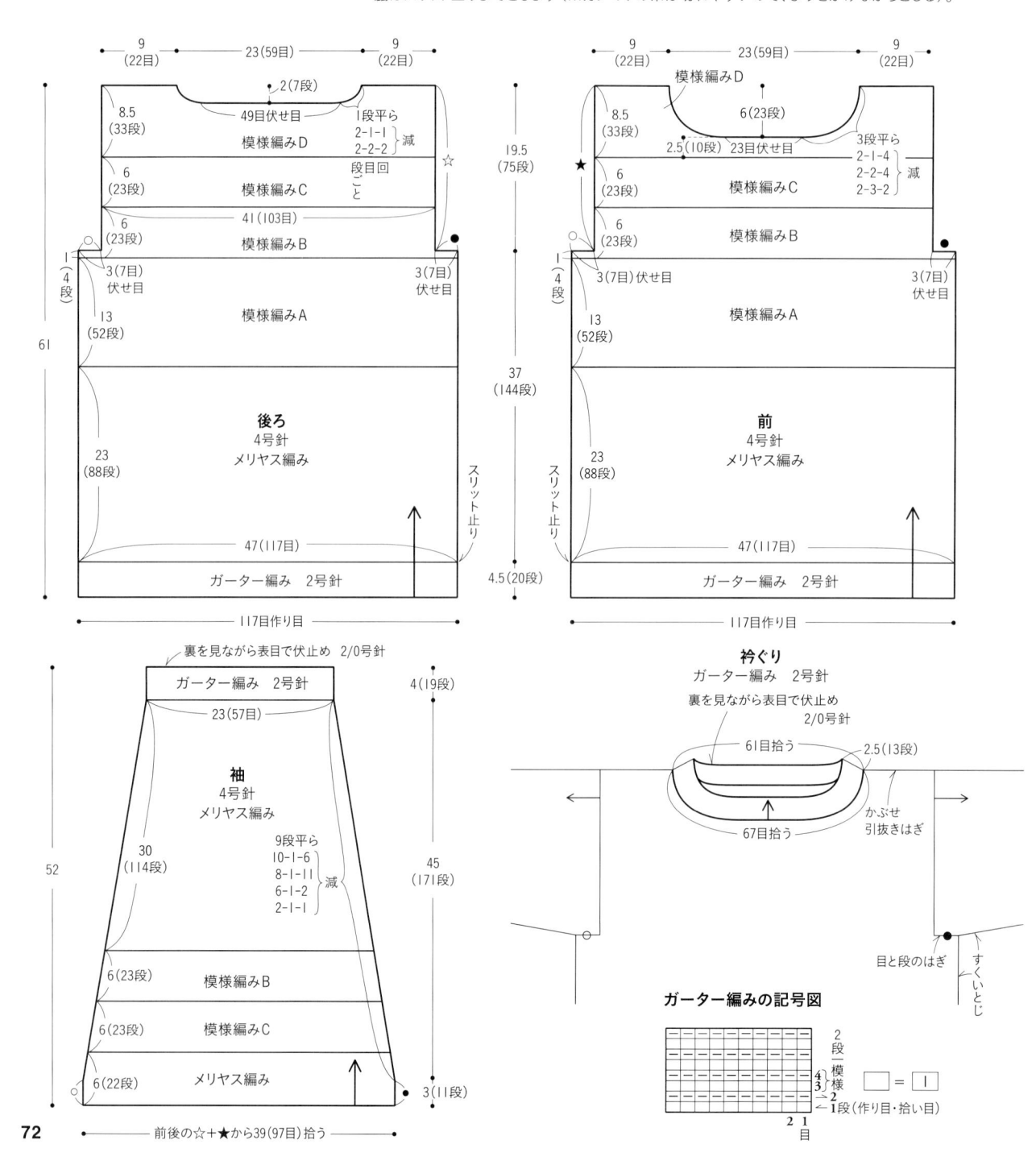

後ろ 4号針 メリヤス編み

前 4号針 メリヤス編み

袖 4号針 メリヤス編み

衿ぐり ガーター編み 2号針
裏を見ながら表目で伏止め 2/0号針

ガーター編みの記号図

□ = |

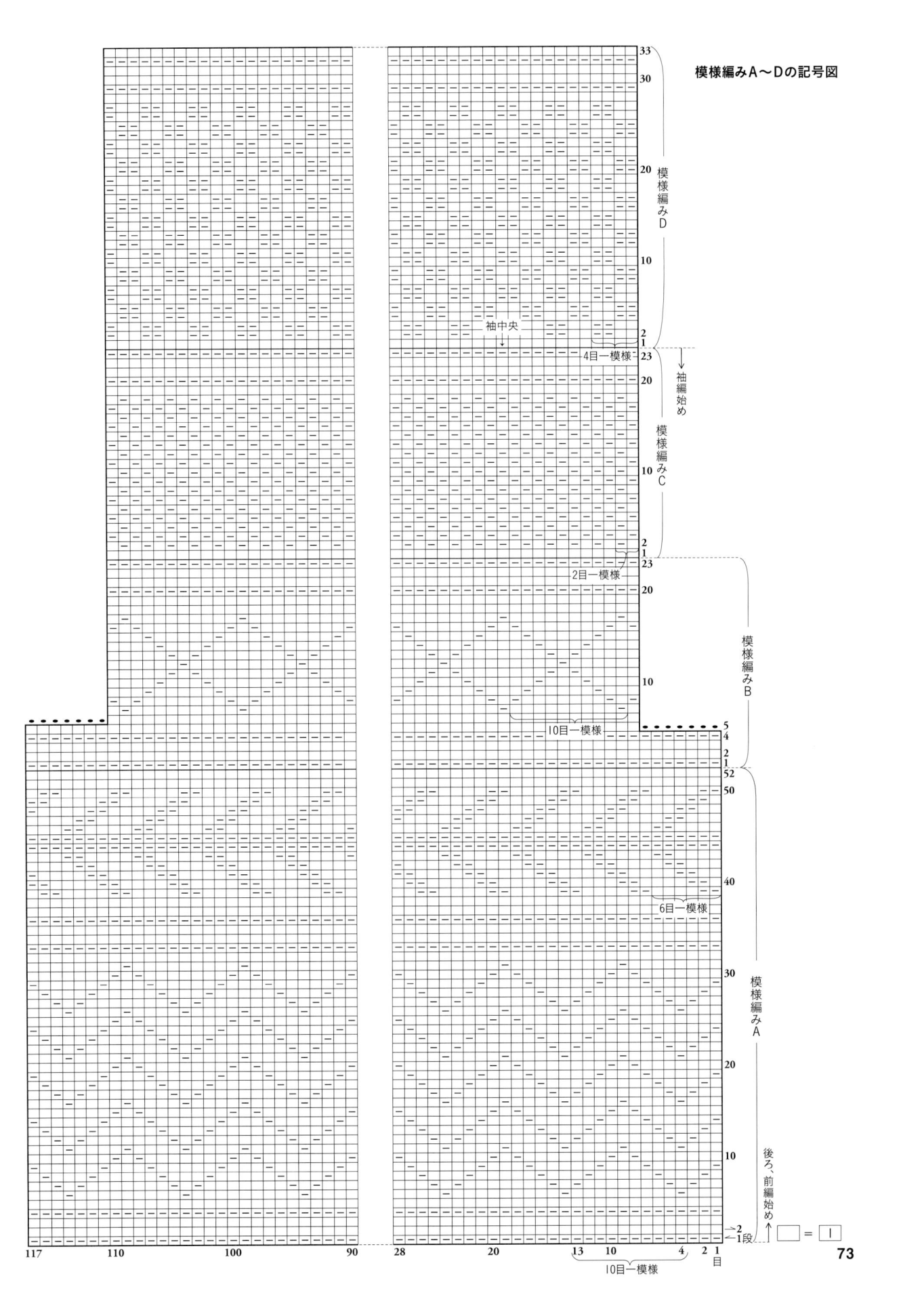

模様編みA〜Dの記号図

模様編みD

袖中央↓

4目一模様

袖編み始め

模様編みC

2目一模様

模様編みB

10目一模様

6目一模様

模様編みA

後ろ、前編み始め

→2
→1段

□ = |

10目一模様

H

アランカーディガン
p.18/19

- 糸　リッチモア スペクトルモデム　緑（38）540g
- 針　8号、6号2本棒針　5/0号かぎ針
- 付属品　直径2.2cmのボタン7個
- ゲージ　かのこ編み　18.5目26.5段が10cm四方
  - 模様編みA　27目26.5段が10cm四方
  - 模様編みB　18目が7cm　26.5段が10cm
- サイズ　胸囲94cm　着丈61cm　背肩幅35cm　袖丈55.5cm
- 編み方　糸は1本どりで編みます。

前後身頃、袖はそれぞれ指に糸をかけて目を作る方法で作り目をし、2目ゴム編みを編みます。続けて前後身頃はかのこ編み、模様編みA、袖はかのこ編み、模様編みBで編みます。肩は最終段で目を減らし、かぶせ引抜きはぎにします。衿ぐりから拾い目をして2目ゴム編みを編み、編終りはかぎ針を使う方法で伏止めします。前立ては前端から拾い目をし、2目ゴム編みを編みますが、右前にはボタン穴をあけながら編みます。脇、袖下をすくいとじにし、袖を引抜きとじでつけます。ボタンをつけます。

右前立てのボタン穴の編み方
※左前立てはボタン穴を作らずに2目ゴム編みを編む

□ = －

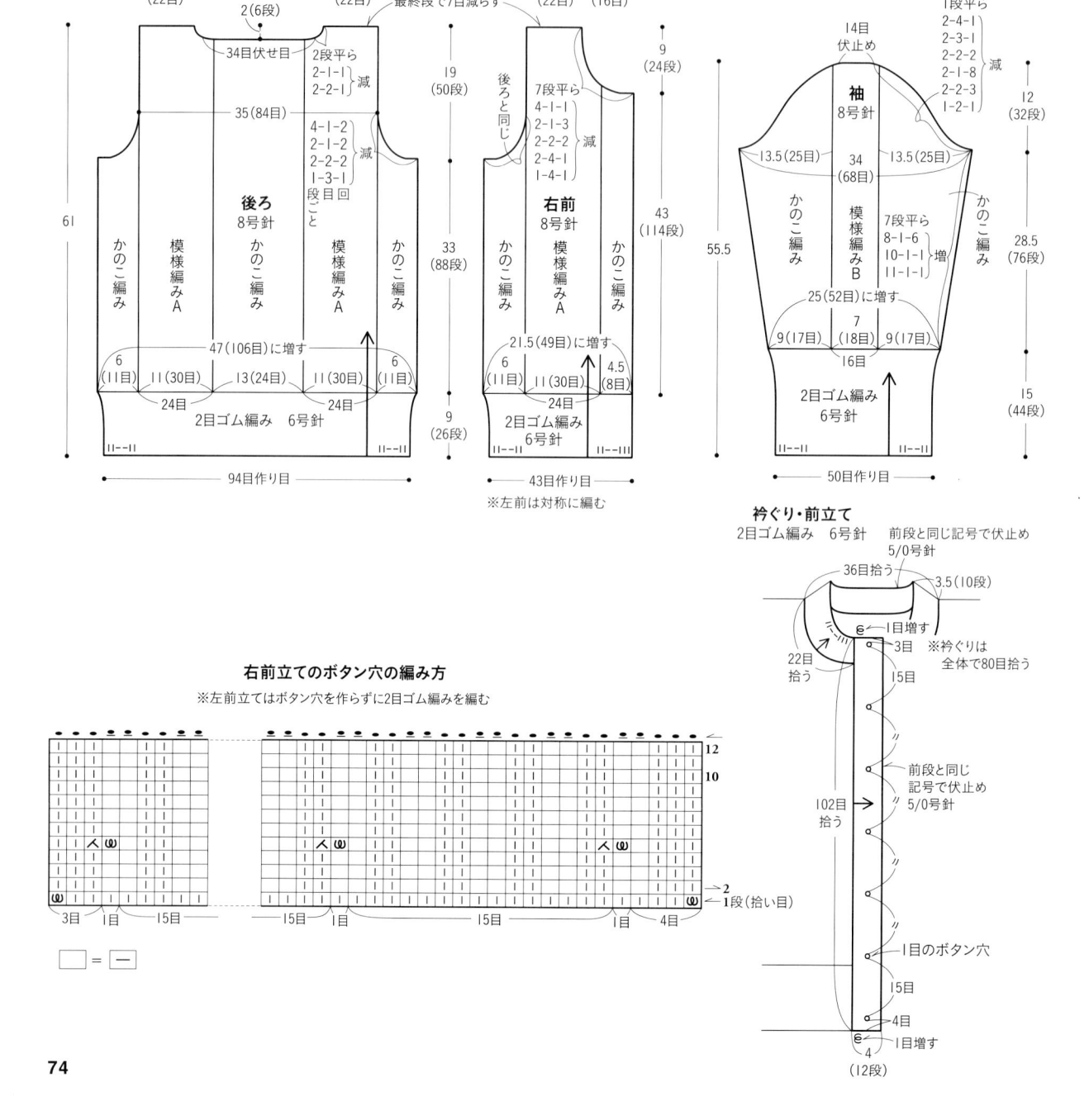

かのこ編み、模様編みAの記号図

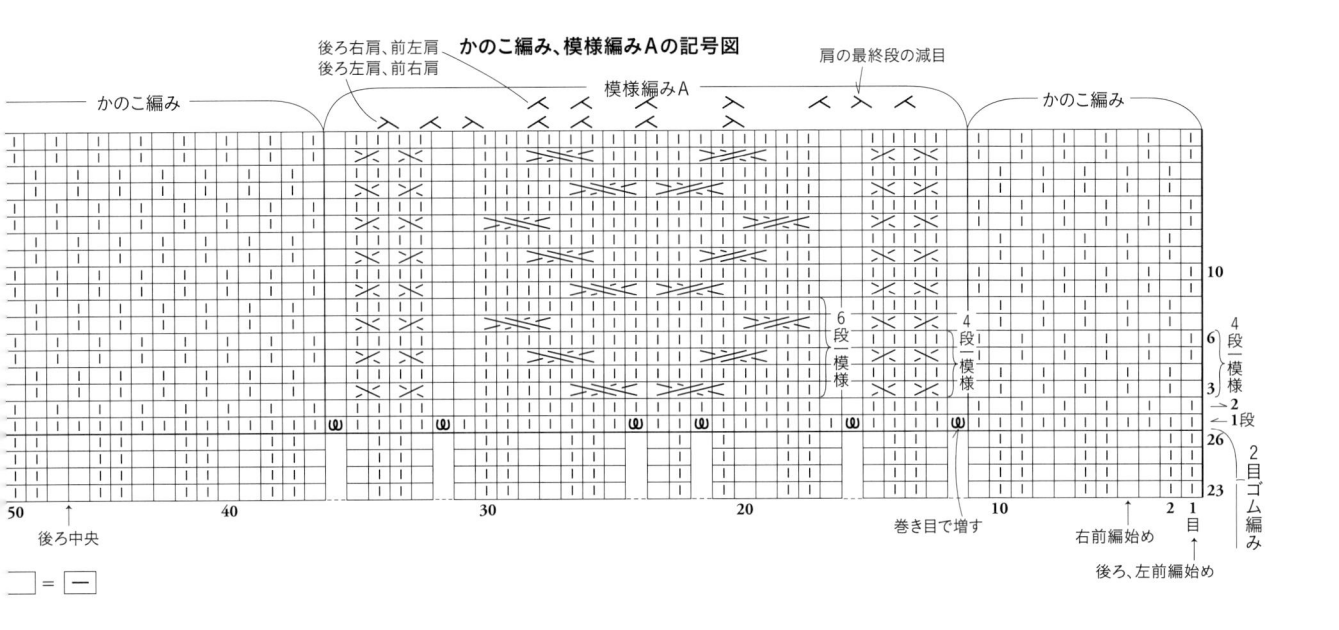

袖のかのこ編み、模様編みBの記号図

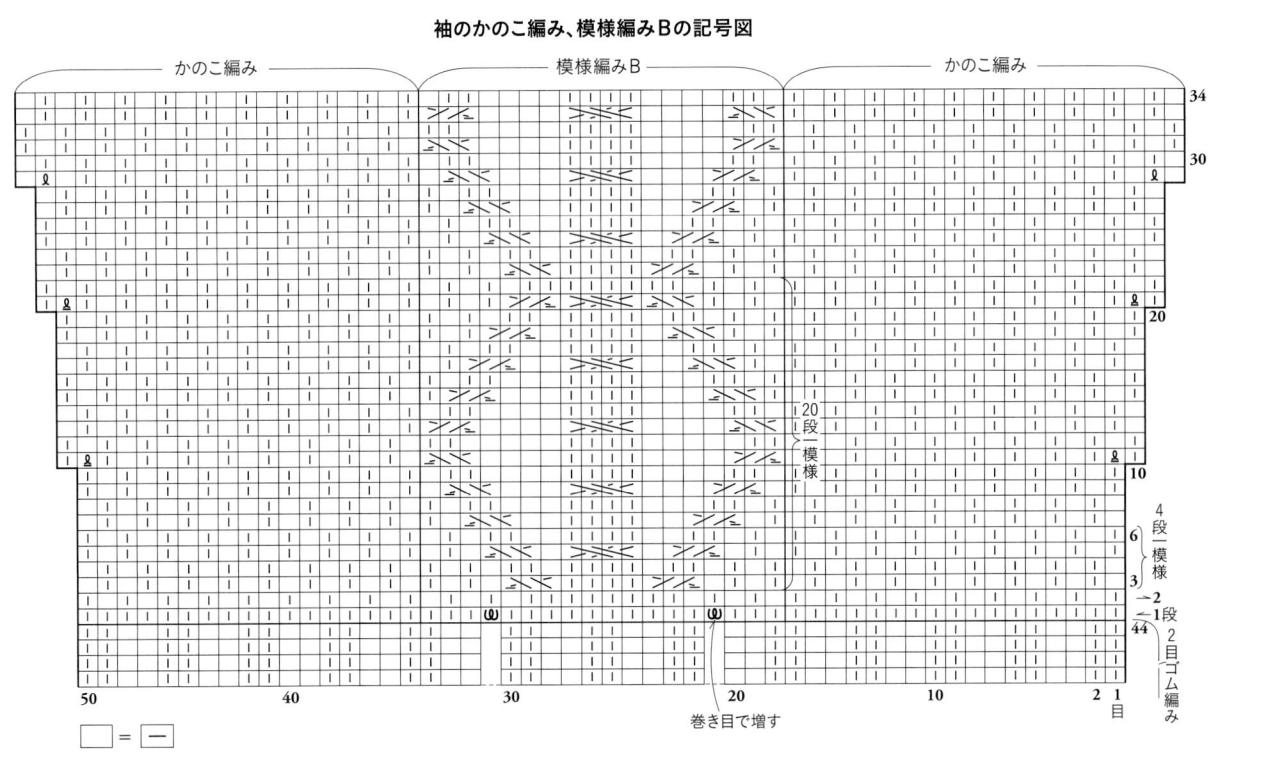

I

メンズガンジーセーター

p.20/21

糸 パピー シェットランド ロイヤルブルー(53) 640g
針 5号、3号2本棒針　3号4本棒針　2/0号かぎ針
ゲージ メリヤス編み　21.5目28.5段が10cm四方
　　　　模様編みA～C　21.5目32段が10cm四方
サイズ 胸囲108cm　着丈67cm　ゆき丈82.5cm
編み方 糸は1本どりで編みます。
前後身頃はそれぞれ指に糸をかけて目を作る方法で作り目をし、2目ゴム編みを編みます。続けて1目減目をし、メリヤス編み、模様編みA、Bで編みます。袖も同様に作り目をし、2目ゴム編み、メリヤス編み、模様編みCで編みます。肩をかぶせ引抜きはぎにし、衿ぐりから拾い目をして2目ゴム編みを輪に編み、編終りはかぎ針を使う方法で伏止めします。袖を目と段のはぎでつけ、脇、袖下をすくいとじにします。

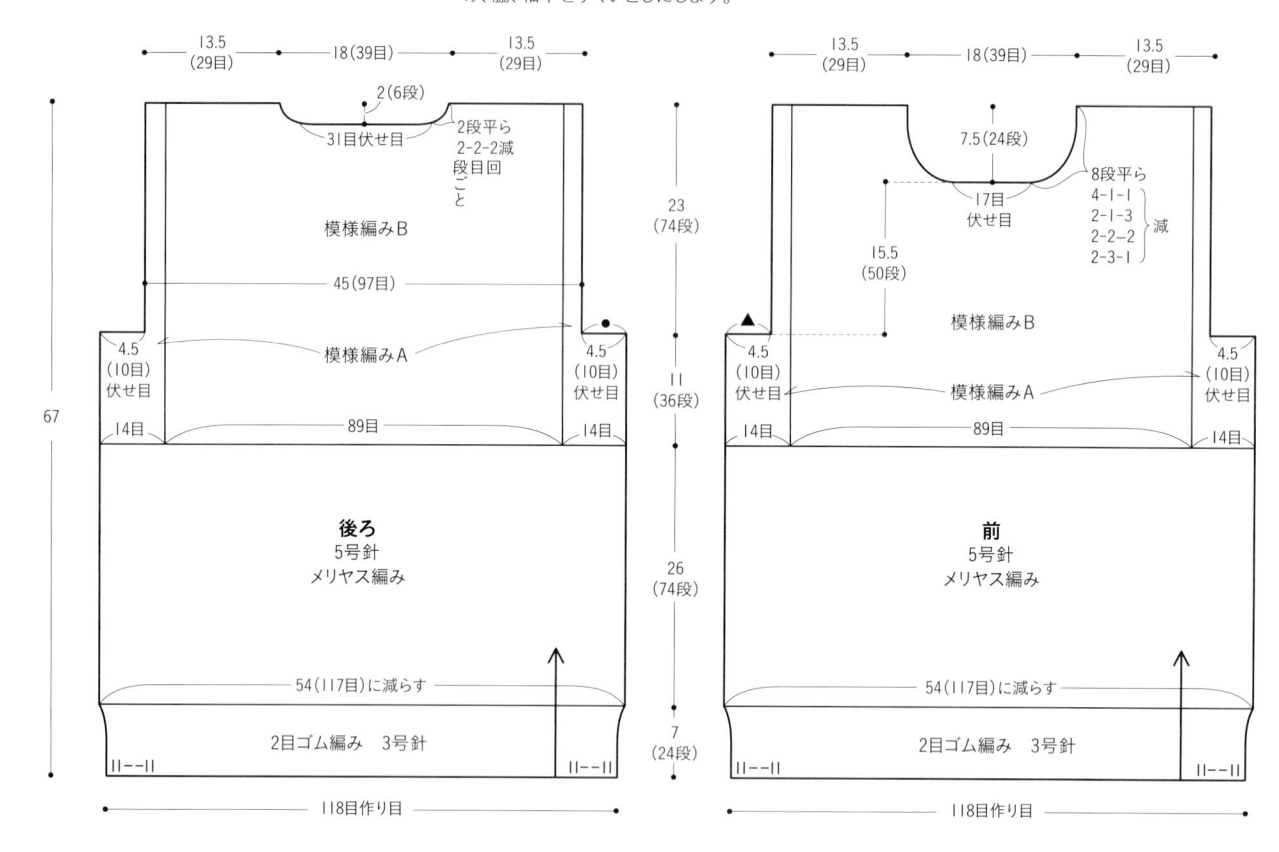

模様編みA、Bの記号図

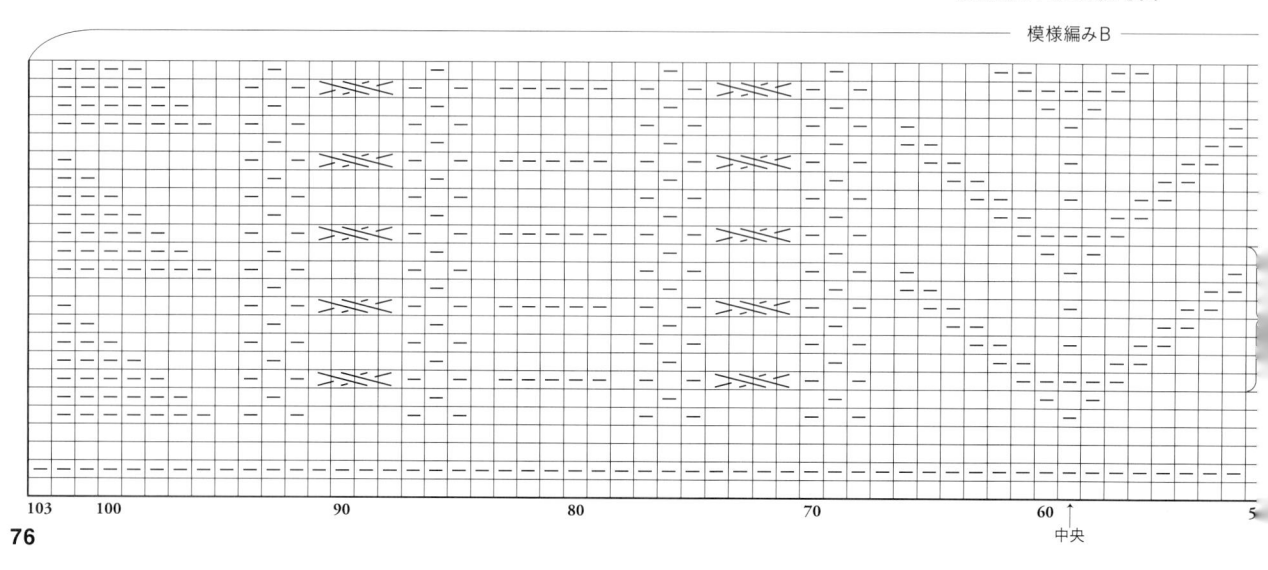

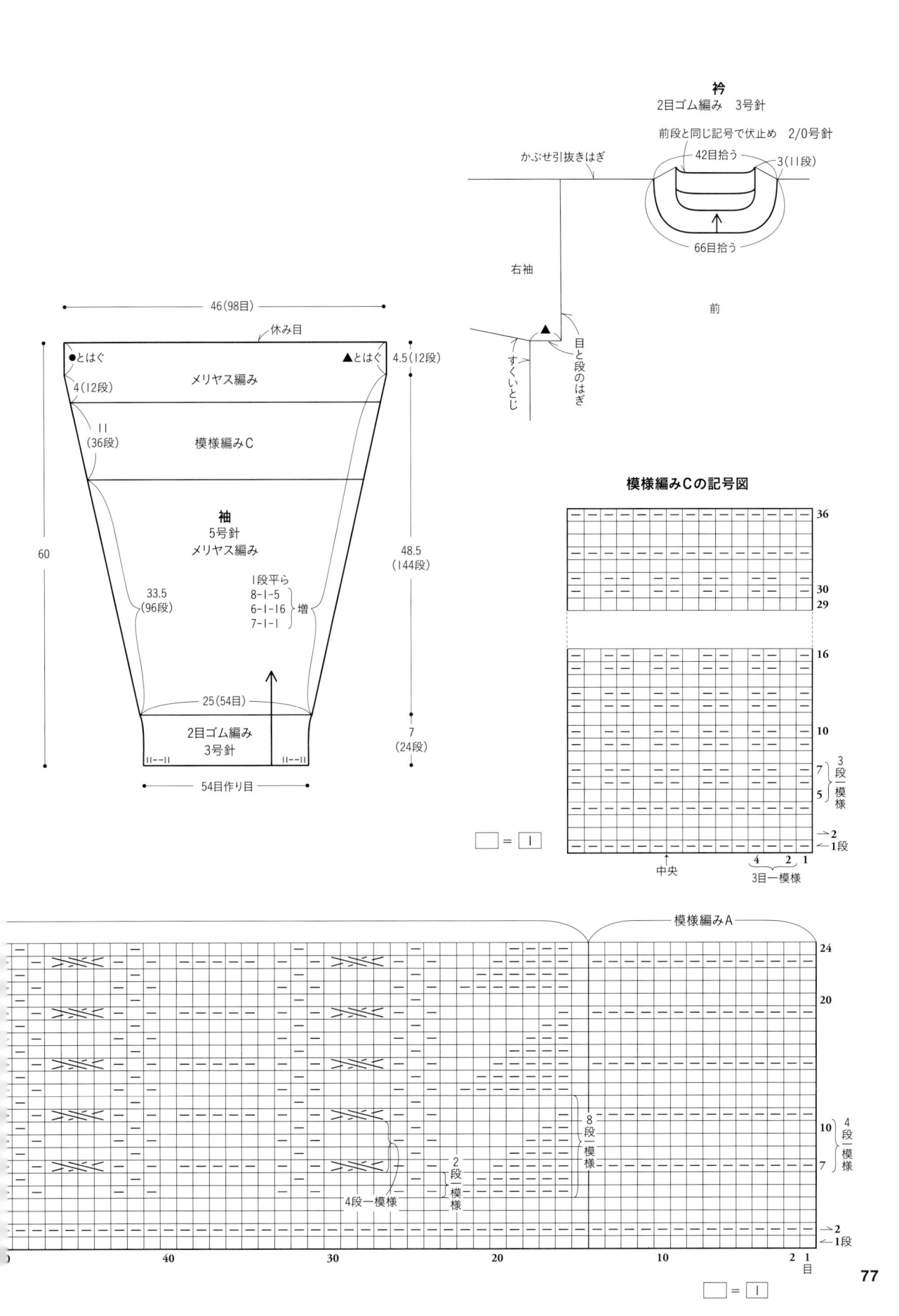

衿
2目ゴム編み 3号針
前段と同じ記号で伏止め 2/0号針

42目拾う
3(11段)
かぶせ引抜きはぎ
66目拾う

右袖
すくいとじ
目と段のはぎ

前

46(98目)
休み目
●とはぐ ▲とはぐ
4(12段) 4.5(12段)
メリヤス編み
11(36段)
模様編みC

袖
5号針
メリヤス編み

60

33.5(96段)
48.5(144段)

1段平ら
8-1-5
6-1-16 } 増
7-1-1

25(54目)
2目ゴム編み 3号針
11--11 11--11
7(24段)

54目作り目

模様編みCの記号図

36
30
29

16
10
7 } 3段一模様
5
→2
←1段

↑中央 4 2 1
3目一模様

☐ = │

模様編みA

24
20
10 } 4段一模様
8段一模様
7
2段一模様
4段一模様
→2
←1段

40 30 20 10 2 1目

77

☐ = │

K/L

アランの帽子
p.24/25

糸 リッチモア スペクトルモデム K／生成り（1）
L／青（22） 各100g

針 6号4本棒針

ゲージ 模様編み 23目（一模様）が8cm 32段が10cm

サイズ 頭回り48cm 深さ20cm

編み方 糸は1本どりで編みます。
指に糸をかけて目を作る方法で作り目をして輪にし、折返し分を模様編みで編みます。続けてクラウンを編みますが、折返し分を裏返して編み方向を逆にし、模様編みでトップを図のように減らしながら編みます。残った12目に糸を通して絞ります。

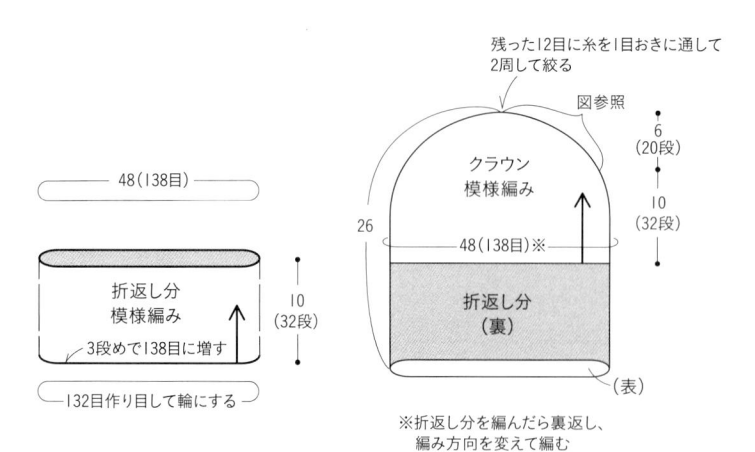

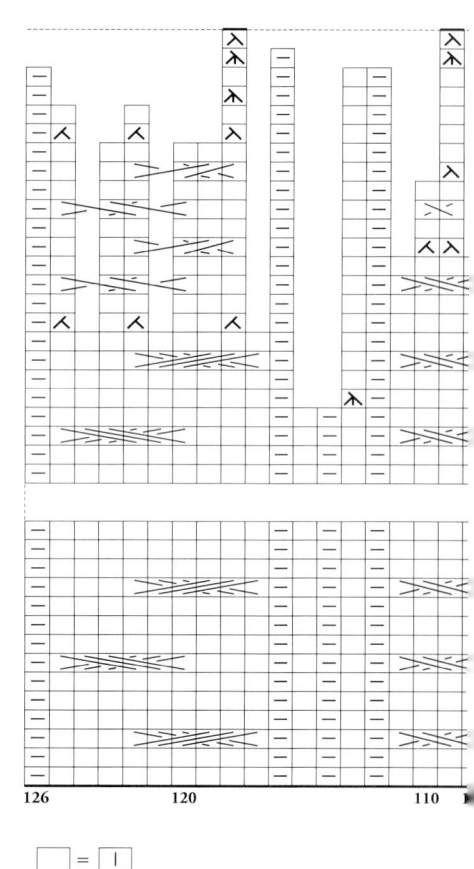

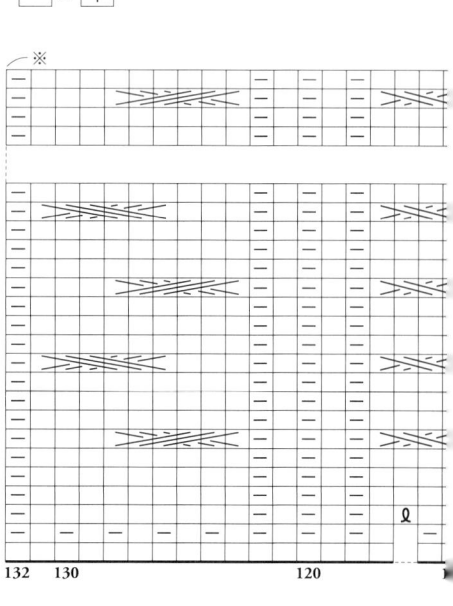

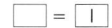

クラウンの編み方

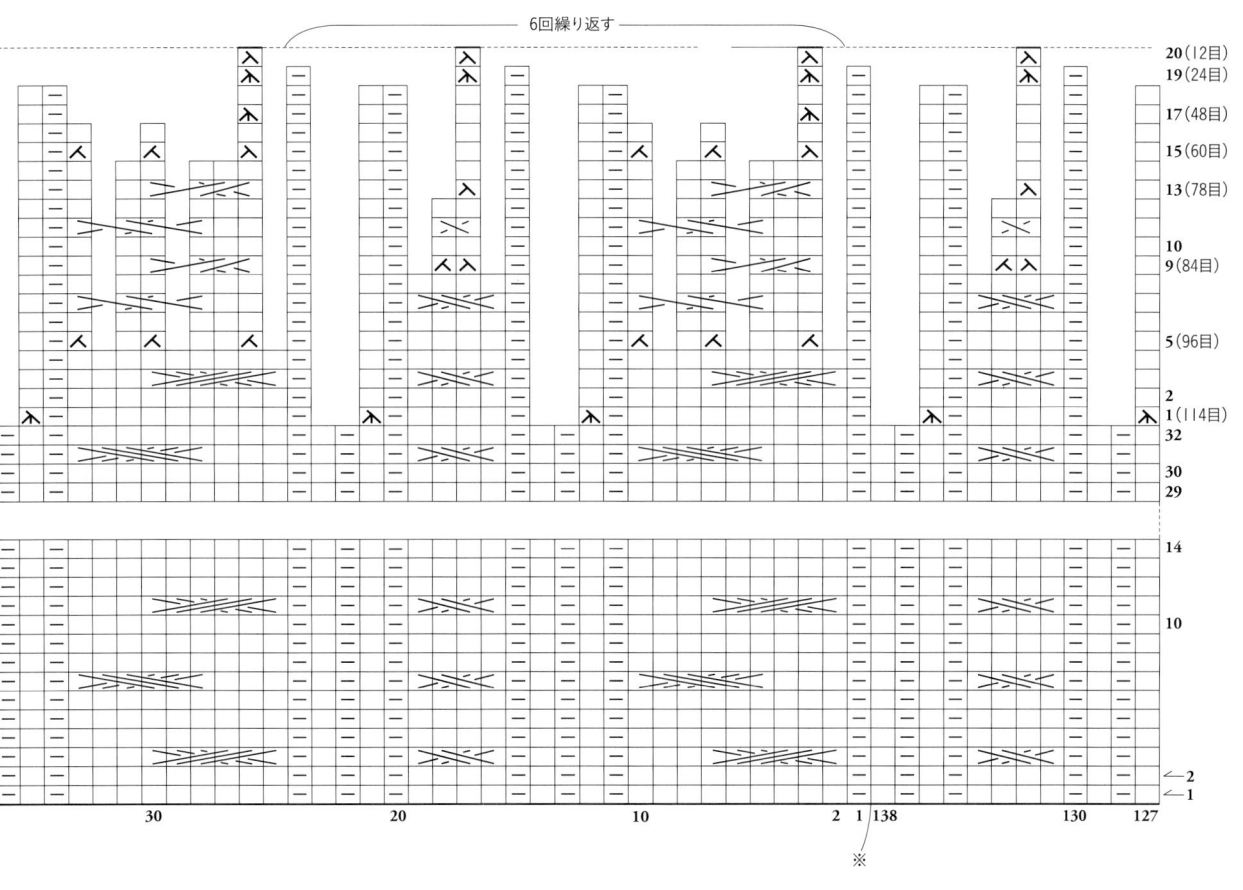

6回繰り返す

折返しの編み方

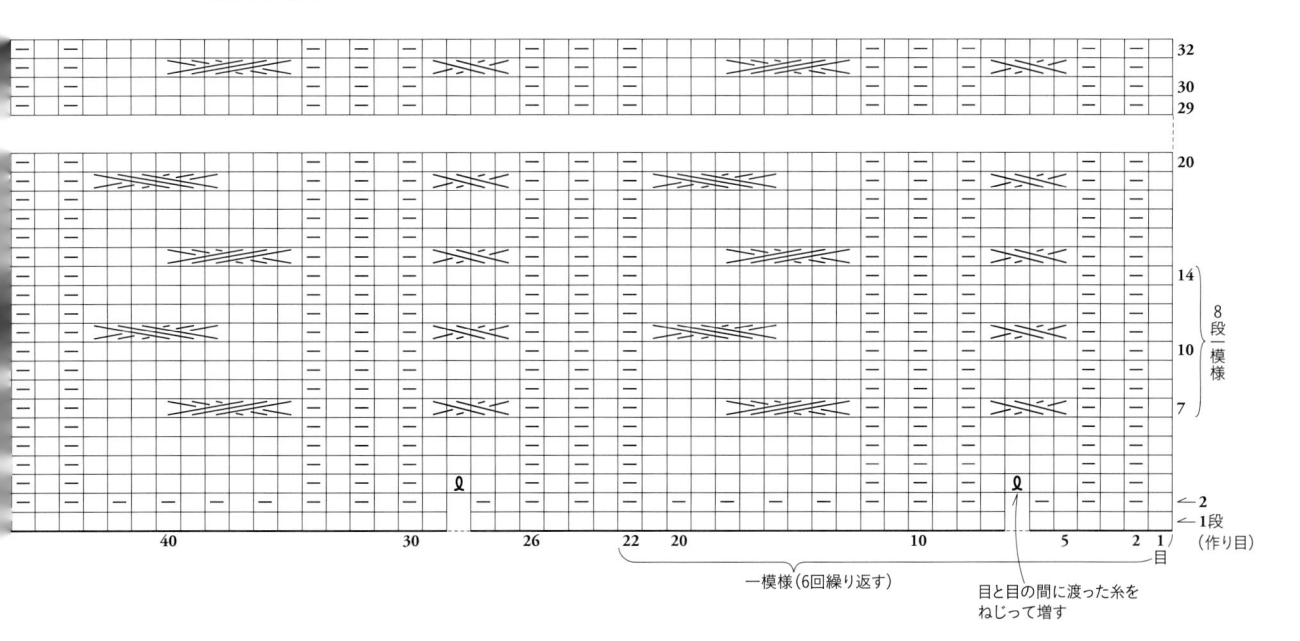

8段一模様

一模様(6回繰り返す)

目と目の間に渡った糸をねじって増す

N/O/P

ガンジーハンドウォーマー&マフラー
p.28/29

糸 リッチモア カシミヤ　ハンドウォーマー　N／グレー（105）38g　O／生成り（101）25g　マフラー　グレー（105）190g

針 ハンドウォーマー　4号4本棒針　3/0号かぎ針
　　　マフラー　4号2本棒針　3/0号かぎ針

ゲージ 模様編みA　25目が10cm　6段が1cm
　　　　　模様編みB、G　25目41段が10cm四方
　　　　　模様編みC　25目47段が10cm四方
　　　　　模様編みD、F　25目38段が10cm四方
　　　　　模様編みE　25目42段が10cm四方

サイズ ハンドウォーマー　N／手のひら回り19cm　長さ26.5cm　O／手のひら回り19cm　長さ16cm　マフラー　幅30cm　長さ177cm

編み方 糸は1本どりで編みます。

ハンドウォーマー　指に糸をかけて目を作る方法で48目作り目をして輪にし、模様編みで編み、Nは親指穴には指定の位置に別糸を編み込みます。編終りはかぎ針を使う方法で伏止めします。別糸をほどいて拾い目をして親指を編み、伏止めします。

マフラー　指に糸をかけて目を作る方法で76目作り目をし、ガーター編みと模様編みA〜Gで編み、編終りはかぎ針を使う方法で伏止めします。

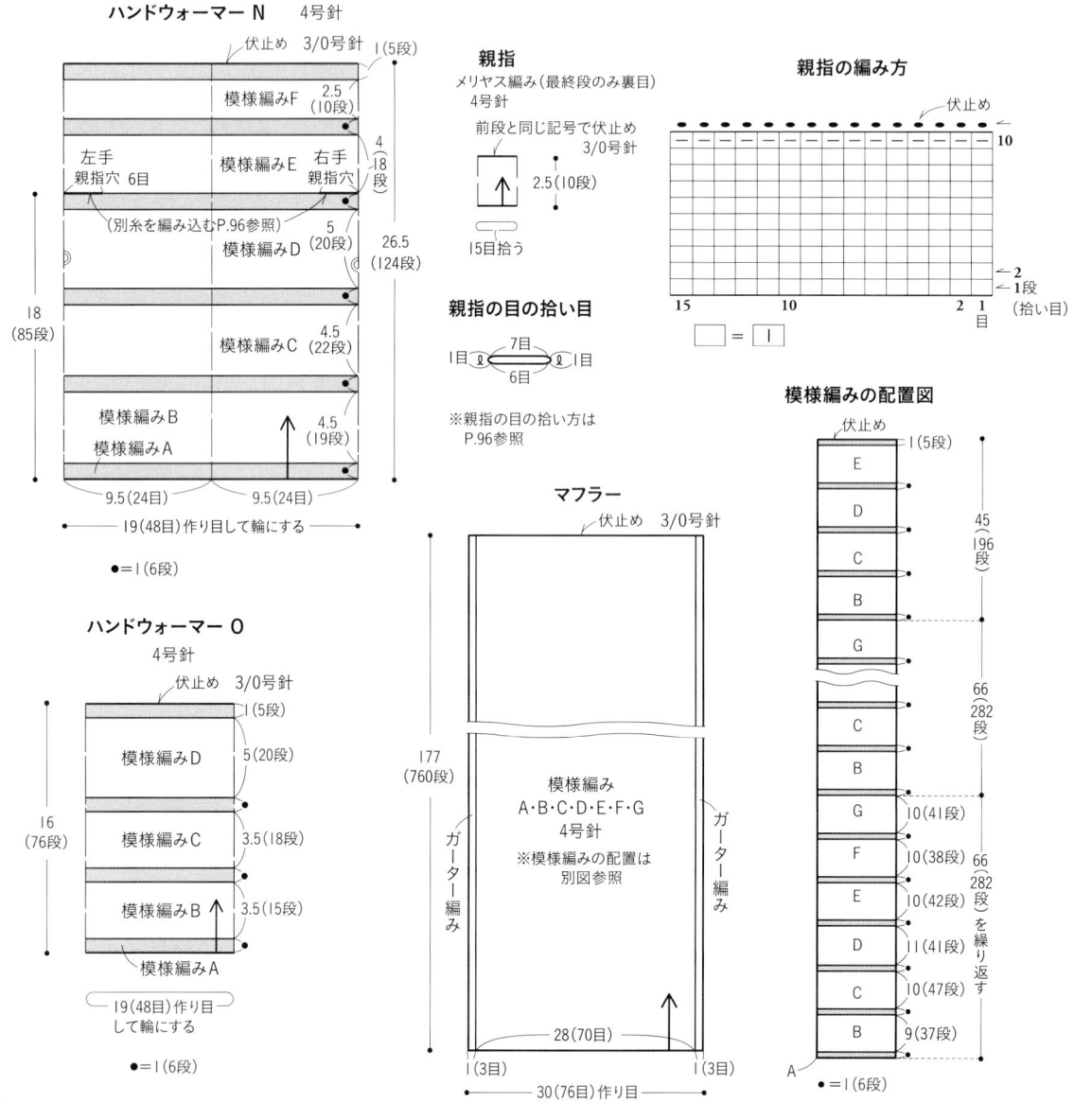

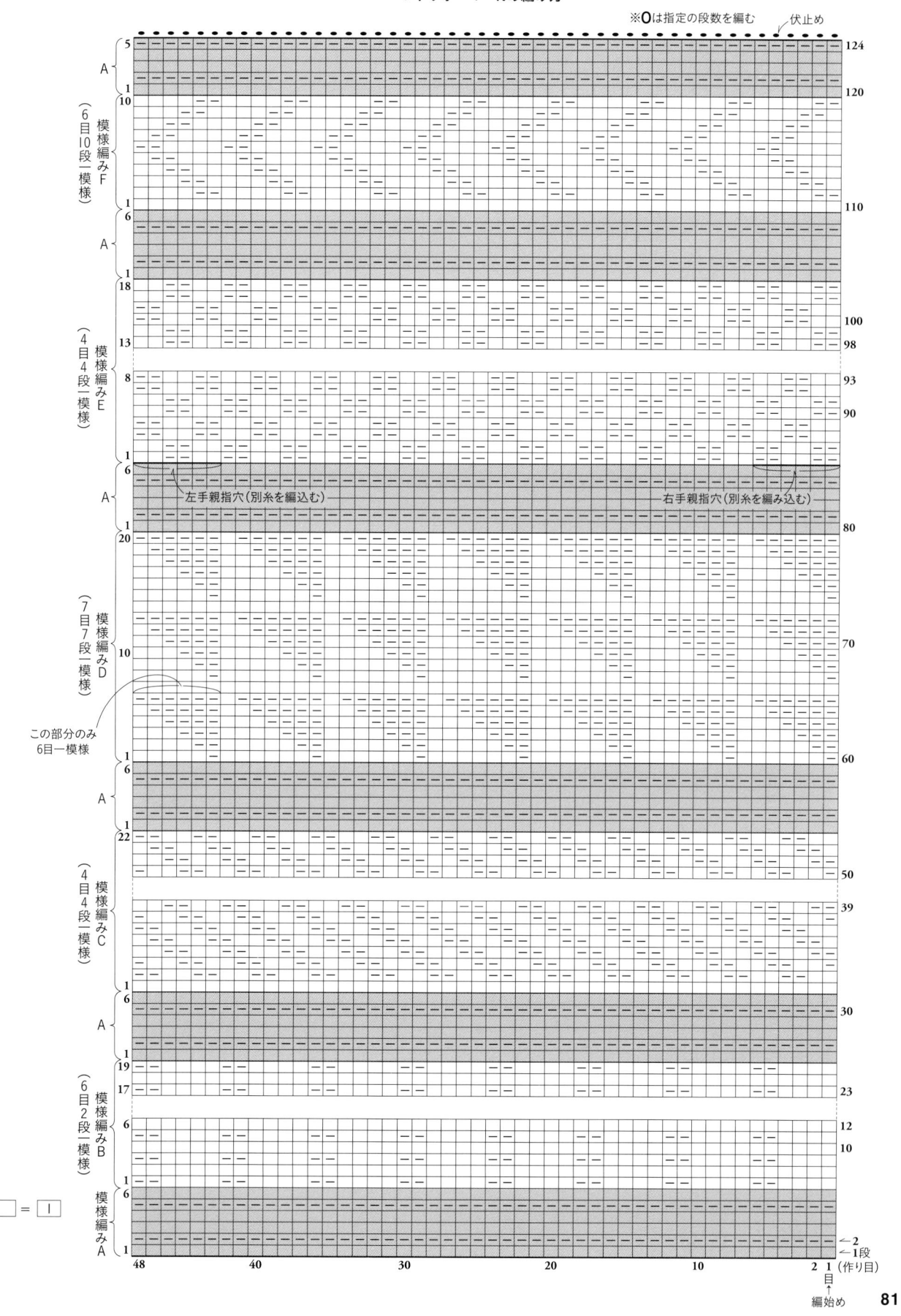

ハンドウォーマーNの編み方

マフラーの編み方

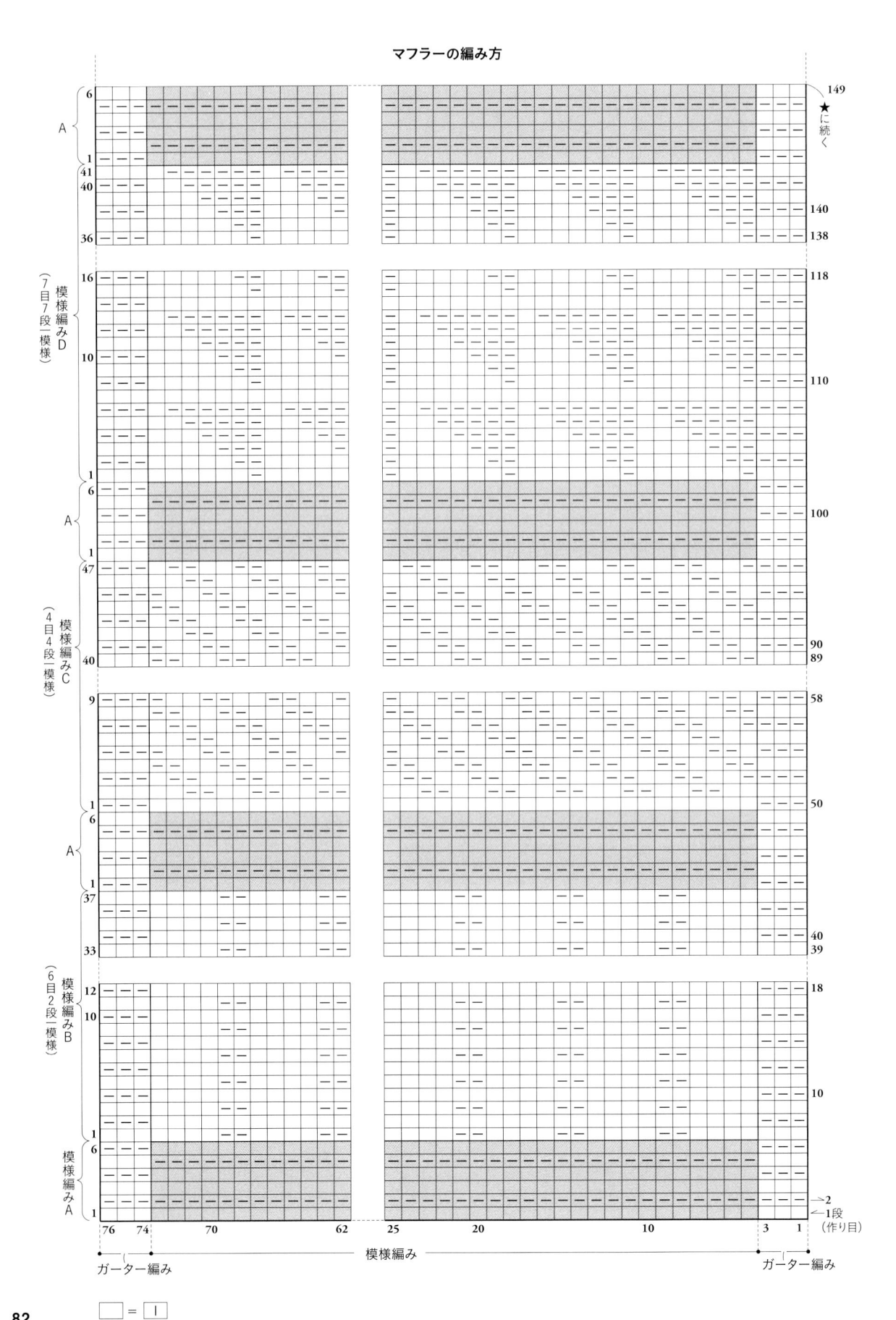

□ = |

82

83

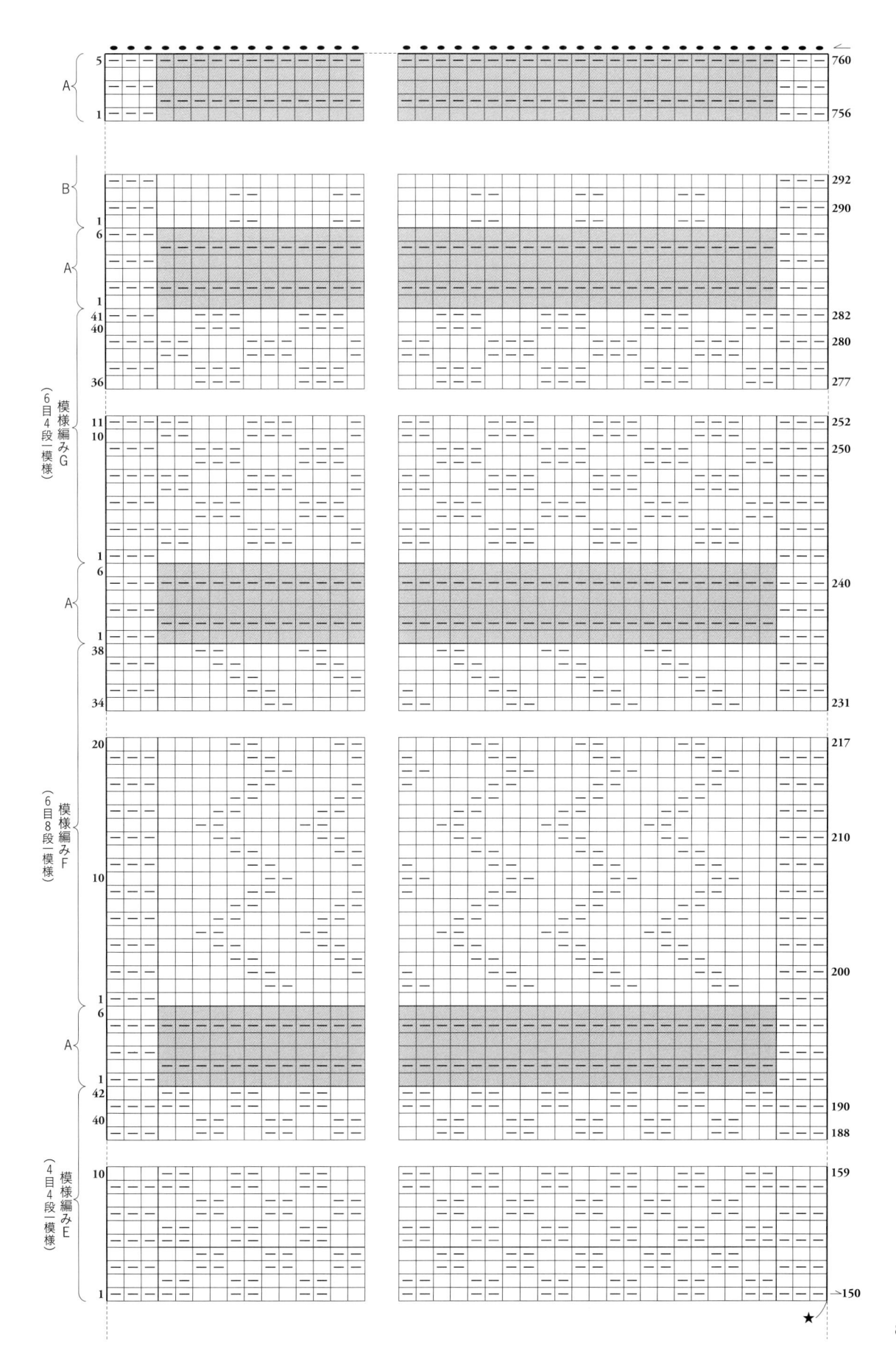

Q
アラン + ガンジーの 横編みセーター
p.30/31

糸　リッチモア カシミヤ　マリンブルー(118) 282g
針　5号、4号、3号2本棒針　3号、2号4本棒針　3/0号かぎ針
ゲージ　模様編みA　31目32.5段が10cm四方
　　　　模様編みB　24.5目35段が10cm四方
サイズ　胸囲90cm　着丈57cm　ゆき丈61.5cm
編み方　糸は1本どりで編みます。

ヨークは別糸を使って目を作る方法で作り目をし、片方の袖口からもう片方の袖口に向かって模様編みAを編みますが、衿あきは左右に分けて編みます。続けて2目ゴム編みを編み、編終りはかぎ針を使う方法で伏止めします。作り目の別糸をほどいて拾い目をし、2目ゴム編みを編みます。身頃は拾い目をして模様編みB、2目ゴム編みで編みます。衿ぐりから拾い目をしてガーター編みを輪に編み、編終りはかぎ針を使う方法で裏を見ながら表目で伏止めします。脇と袖下をすくいとじにします (※カシミヤの糸は切れやすいので、よりをかけながらとじる)。

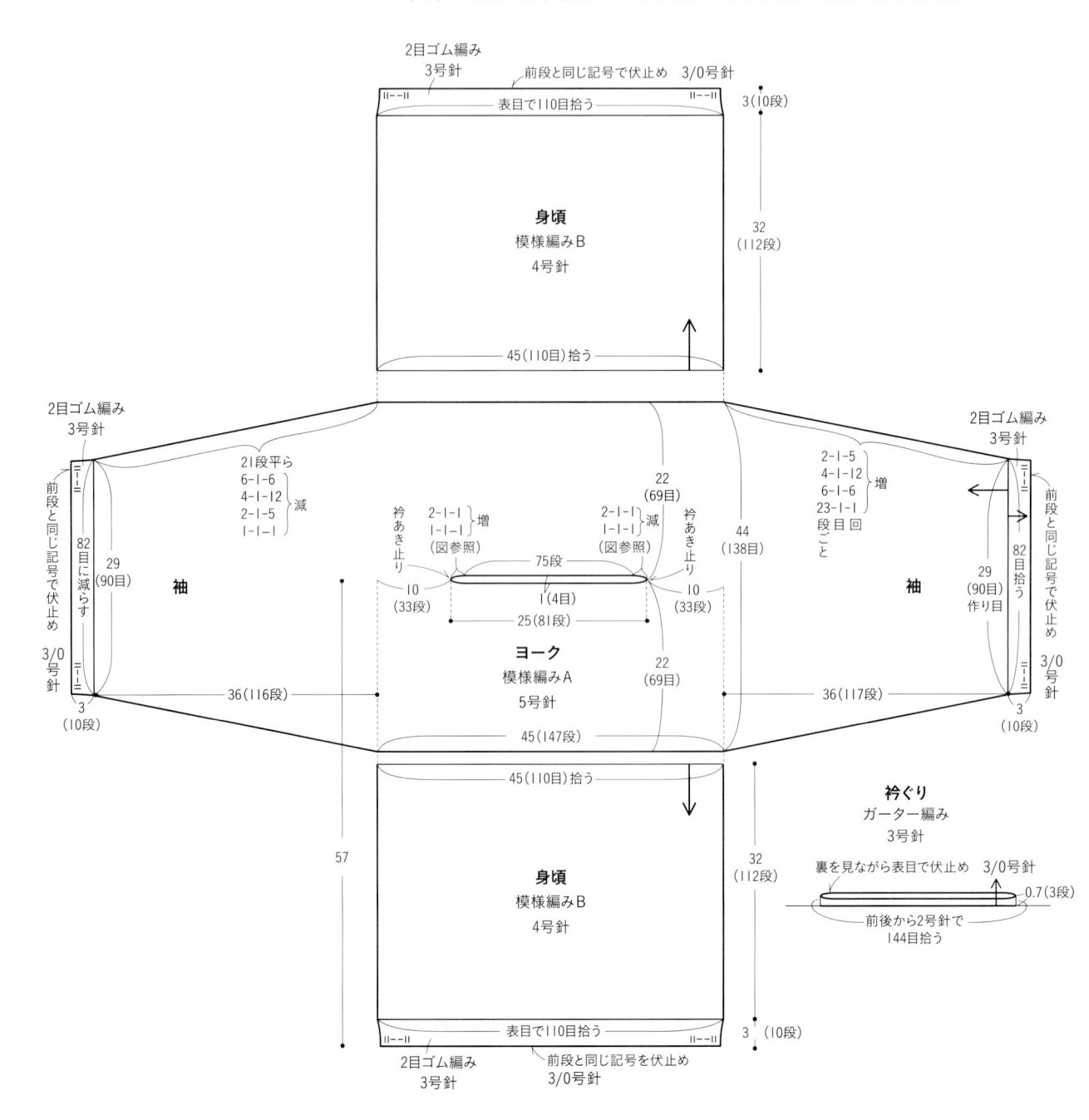

模様編みAの記号図

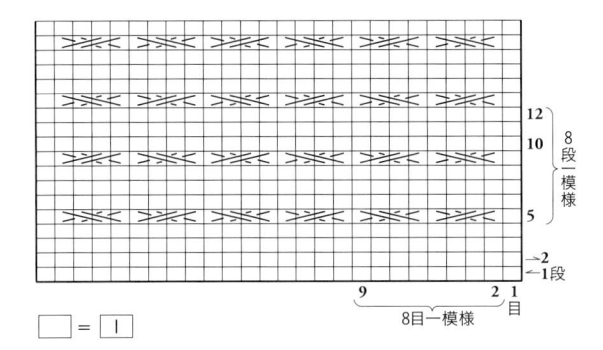

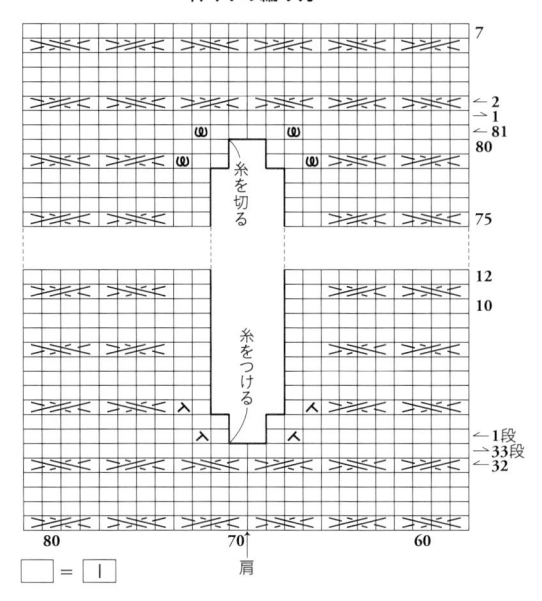

□ = |

8目一模様

模様編みBの記号図

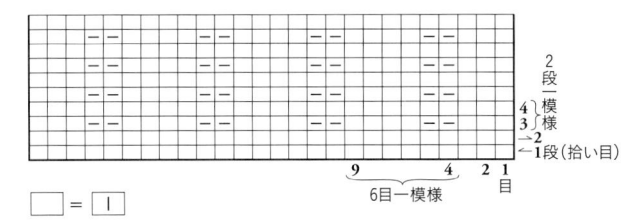

□ = |

6目一模様

衿ぐりの編み方

糸を切る

糸をつける

肩

□ = |

ガーター編みの記号図

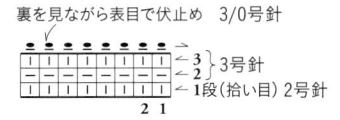

裏を見ながら表目で伏止め　3/0号針

3号針
1段(拾い目) 2号針

M

アランケープ
p.26/27

糸　ハマナカ ソノモノアルパカリリー
オフホワイト(111)350g
針　9号、7号、6号4本棒針(または輪針)
5/0号かぎ針
ゲージ　模様編み　28目31段が10cm四方
サイズ　裾回り125cm　着丈40cm
編み方　糸は1本どりで編みます。
指に糸をかけて目を作る方法で作り目をして輪にし、2目ゴム編みを編みます。続けて増し目をし、模様編みで減目をしながら編みます。さらに続けて減目をし、2目ゴム編みを編み、編終りはかぎ針を使う方法で伏止めします。

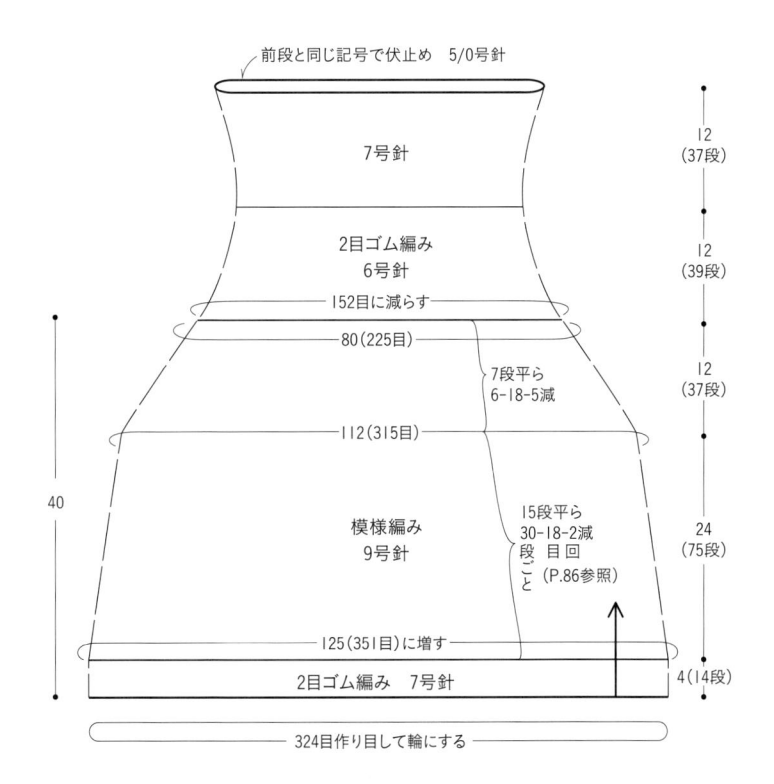

前段と同じ記号で伏止め　5/0号針

7号針

2目ゴム編み
6号針

152目に減らす

80(225目)

7段平ら
6-18-5減

112(315目)

模様編み
9号針

15段平ら
30-18-2減
段　目　回
ごと
(P.86参照)

125(351目)に増す

2目ゴム編み　7号針

324目作り目して輪にする

12(37段)
12(39段)
12(37段)
24(75段)
4(14段)

40

85

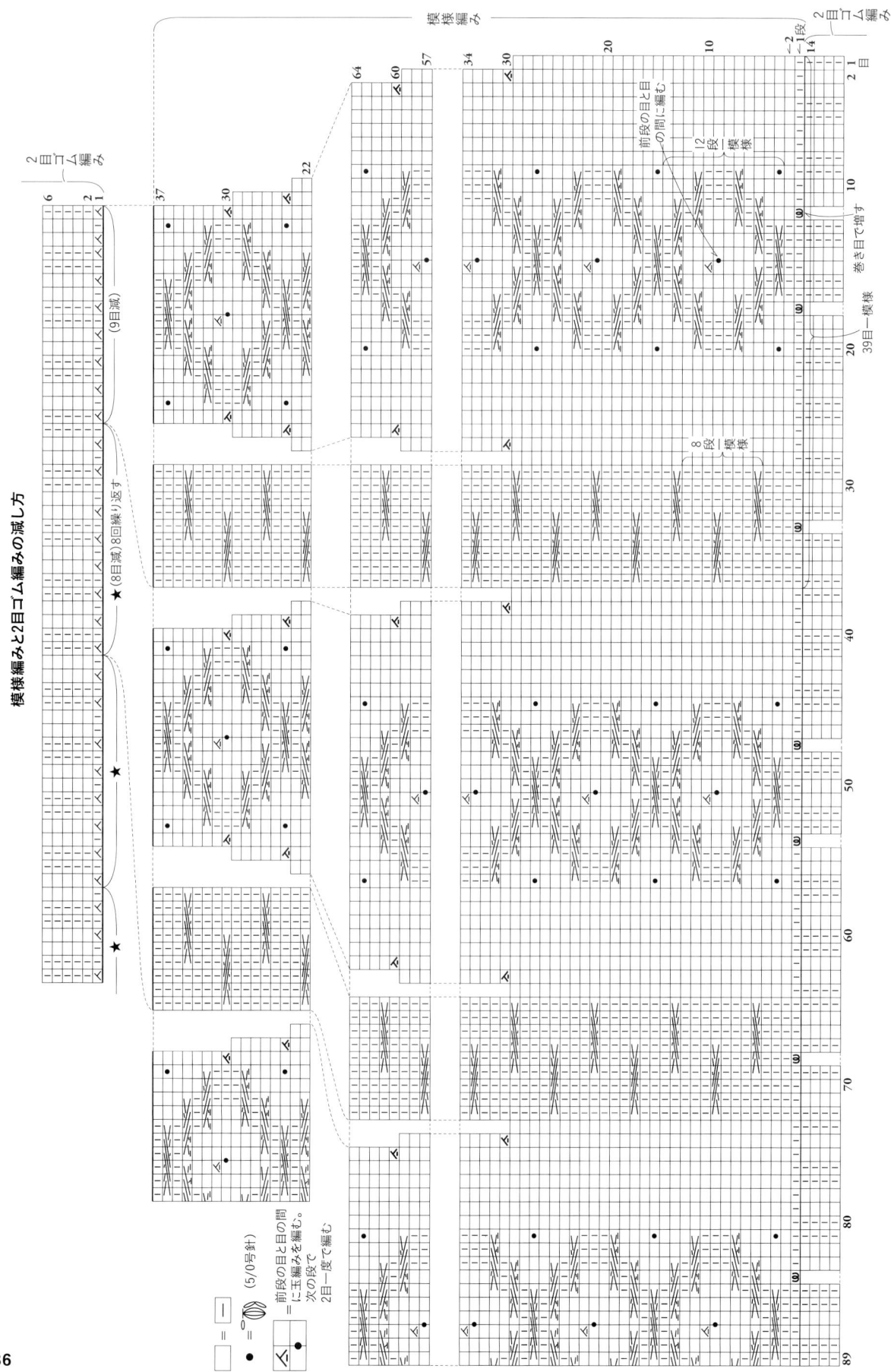

模様編みと2目ゴム編みの減らし方

S

メンズアランセーター
p.34/35

糸　ブルックリンツィード　シェルター　ARTIFACT 560g
針　6号、4号2本棒針　4号4本棒針　3/0号かぎ針
ゲージ　かのこ編み　18目30段が10cm四方
　　　　模様編みA　25目30段が10cm四方
　　　　模様編みB　23.5目30段が10cm四方
サイズ　胸囲108cm　着丈68cm　ゆき丈82.5cm
編み方　糸は1本どりで編みます。
前後身頃、袖はそれぞれ指に糸をかけて目を作る方法で作り目をし、2目ゴム編みを編みます。続けて増し目をし、かのこ編み、模様編みA、Bで編みます。ラグラン線をすくいとじし、衿ぐりから拾い目をして2目ゴム編みを輪に編み、編終りはかぎ針を使う方法で伏止めします。脇、袖下をすくいとじにし、伏せ目の部分をメリヤスはぎにします。

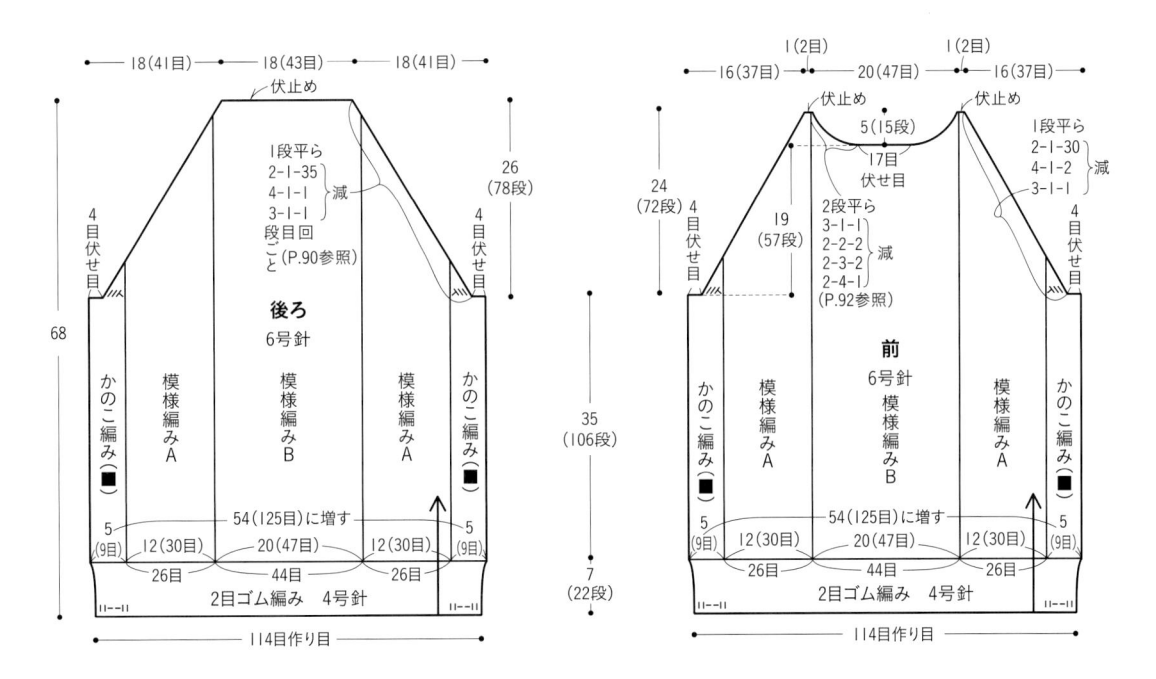

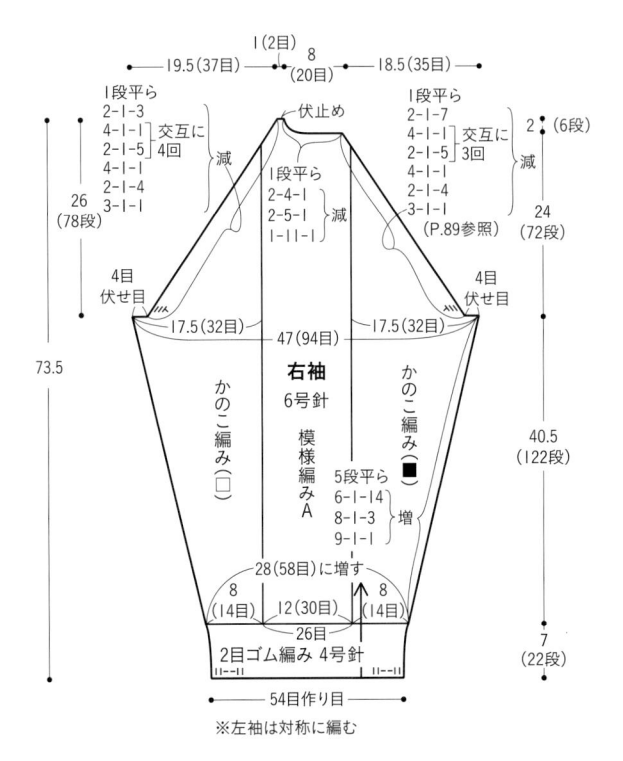

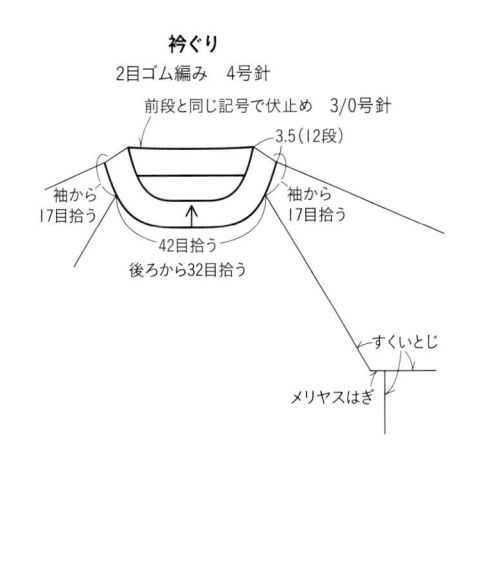

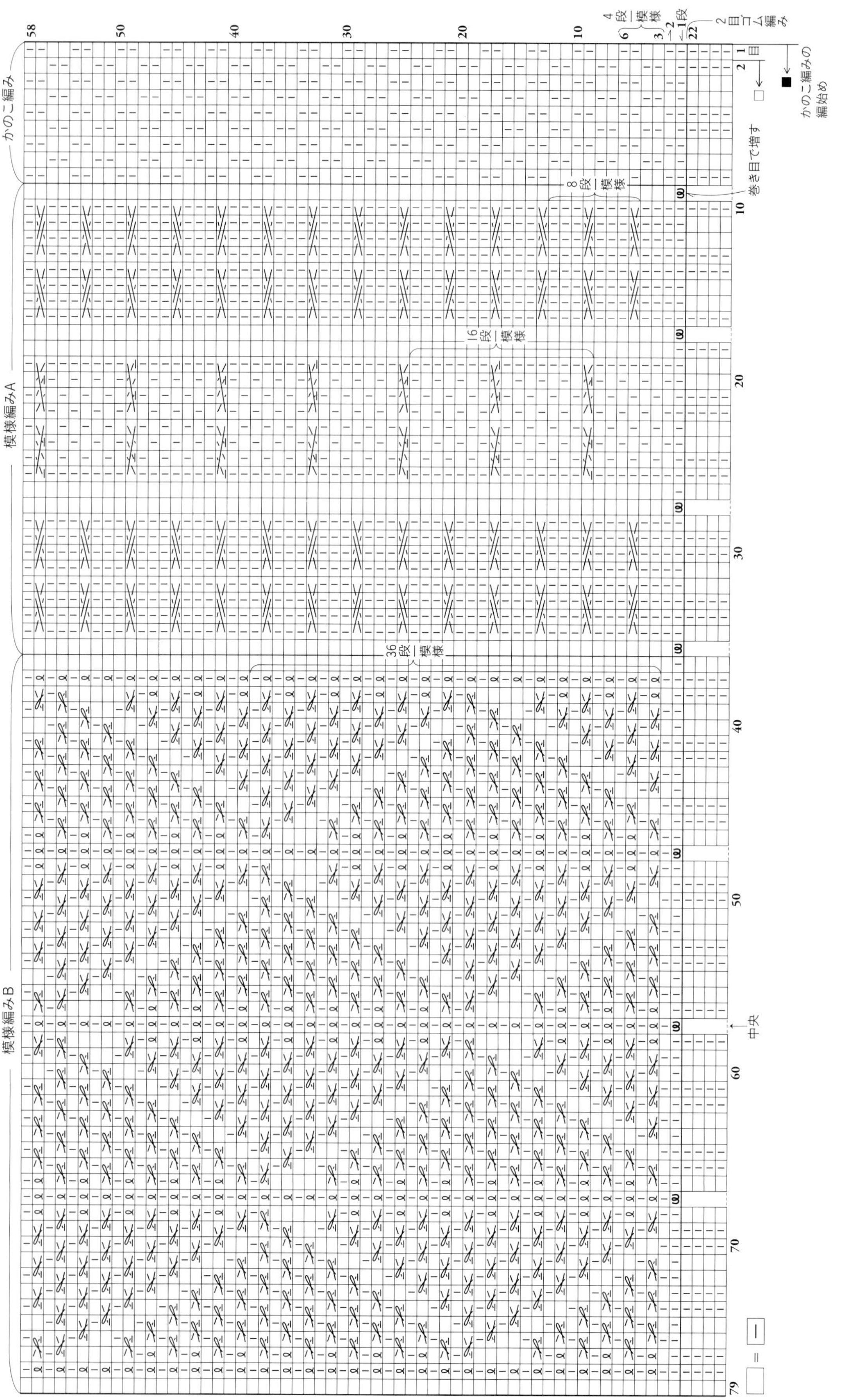

かのこ編み
模様編みA
模様編みB
2目ゴム編み
4段一模様
8段一模様
16段一模様
36段一模様
巻き目で増す
かのこ編みの編始め
中央
□ = ー

右袖の編み方

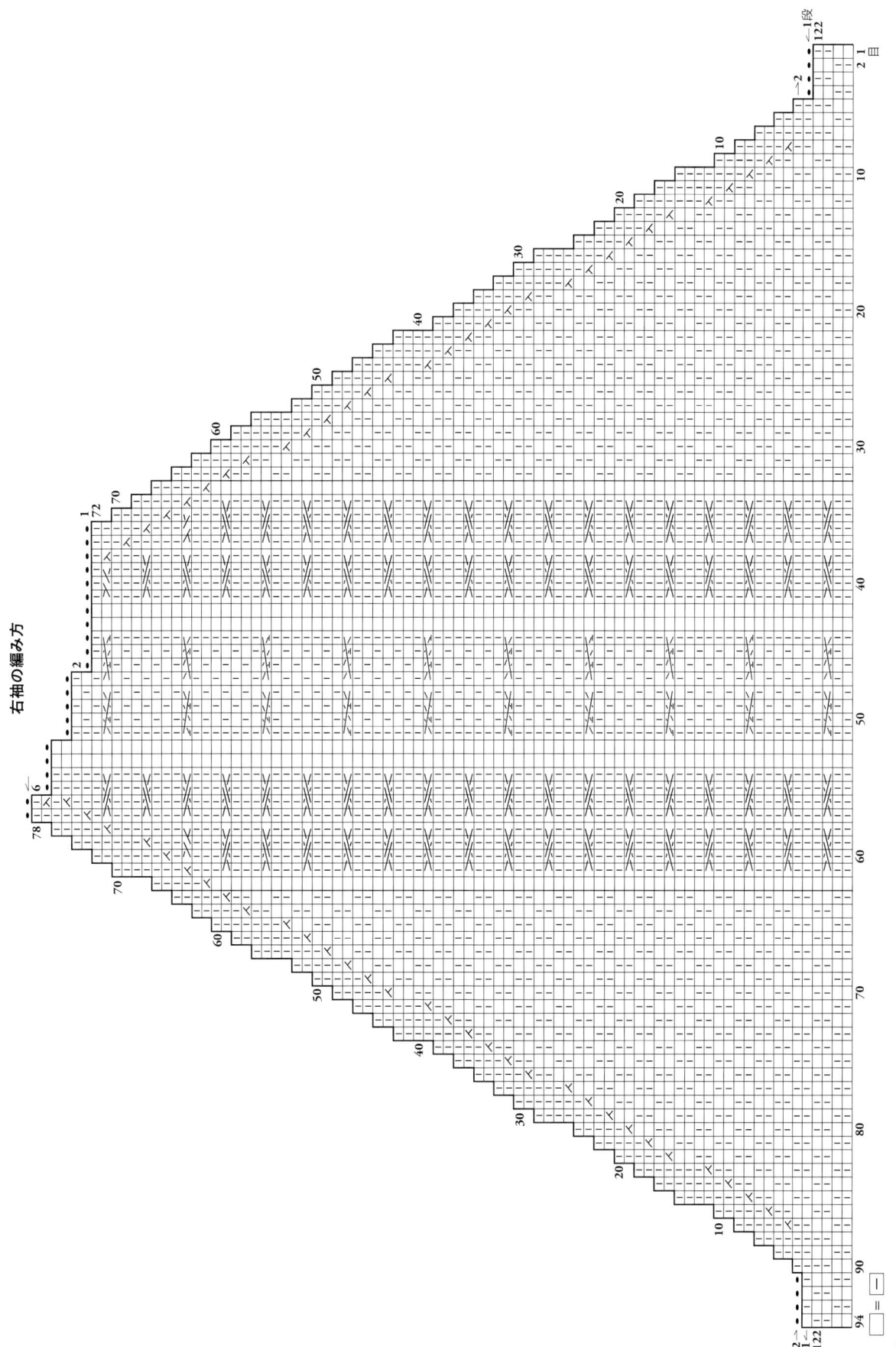

後ろラグラン線の編み方

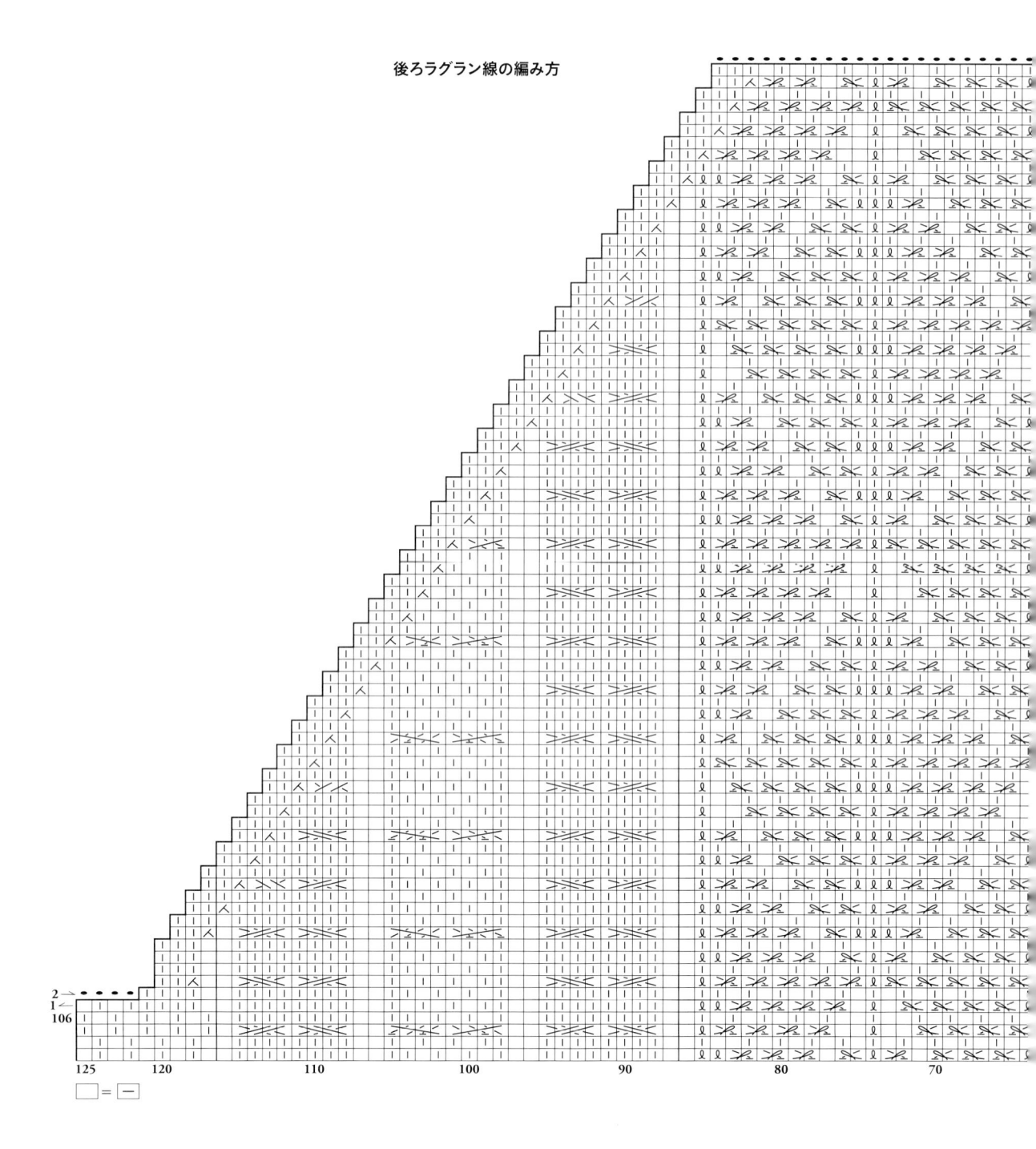

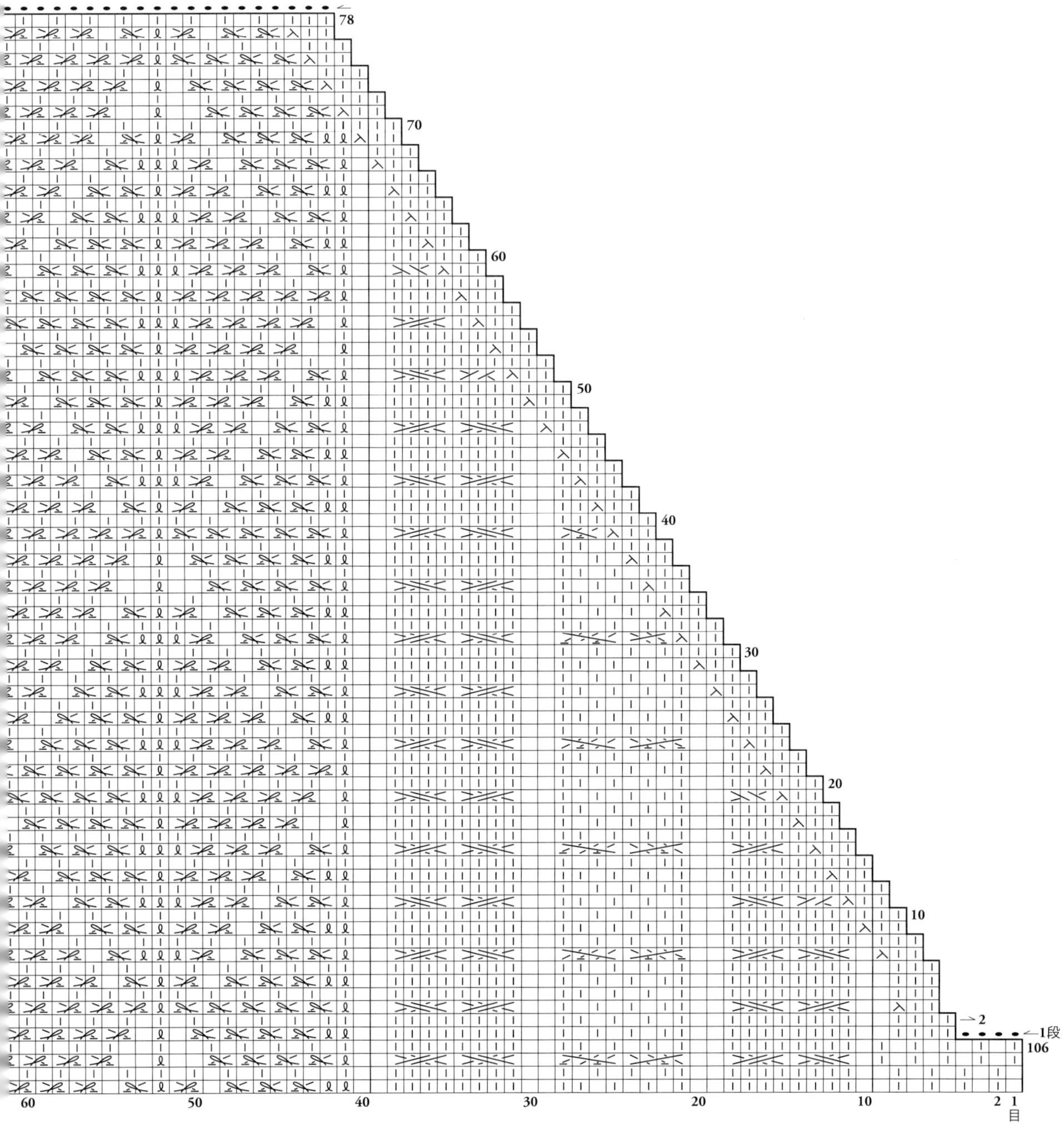
78
70
60
50
40
30
20
10
→2
←1段
106
60
50
40
30
20
10
2 1
目

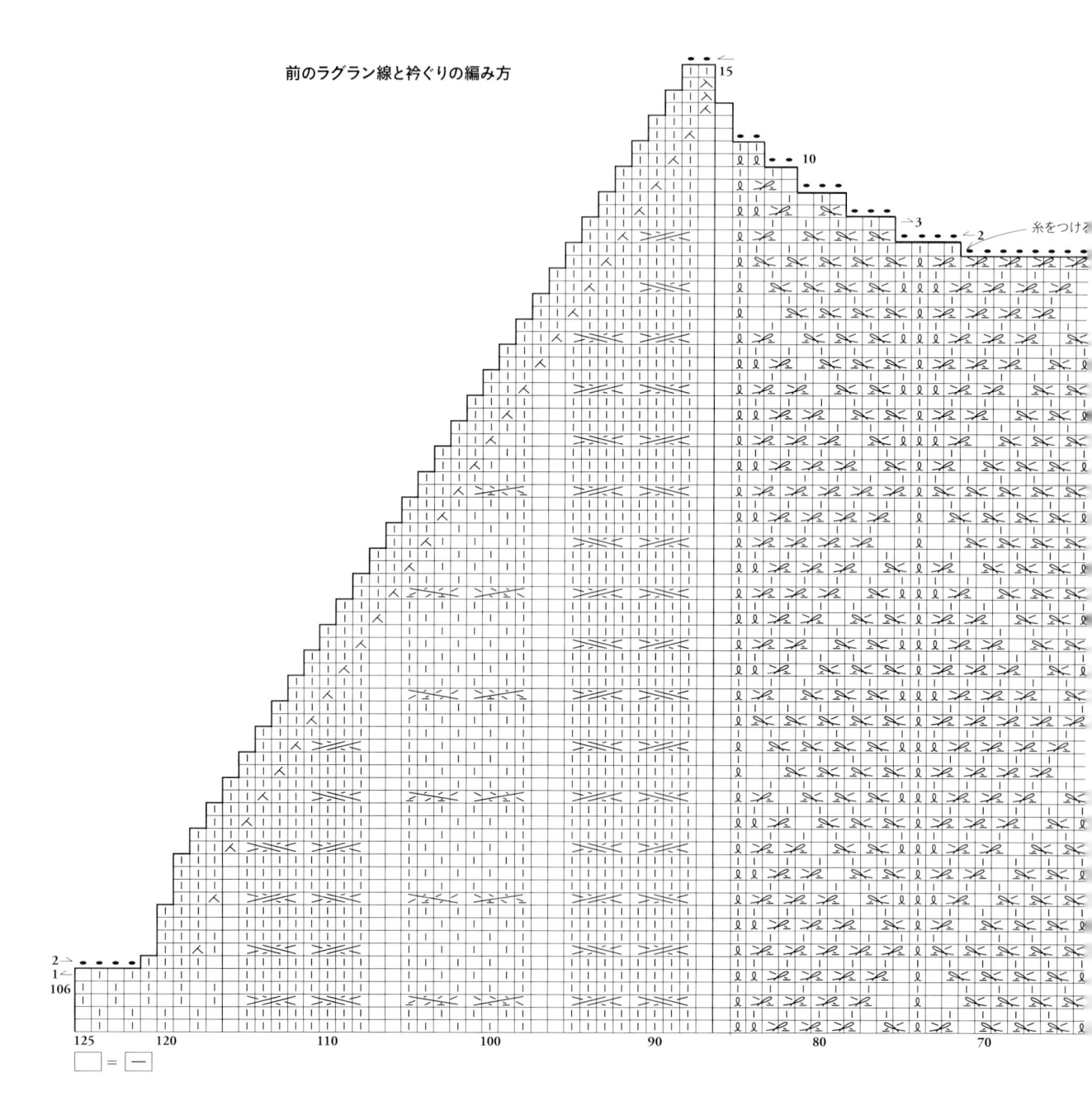

前のラグラン線と衿ぐりの編み方

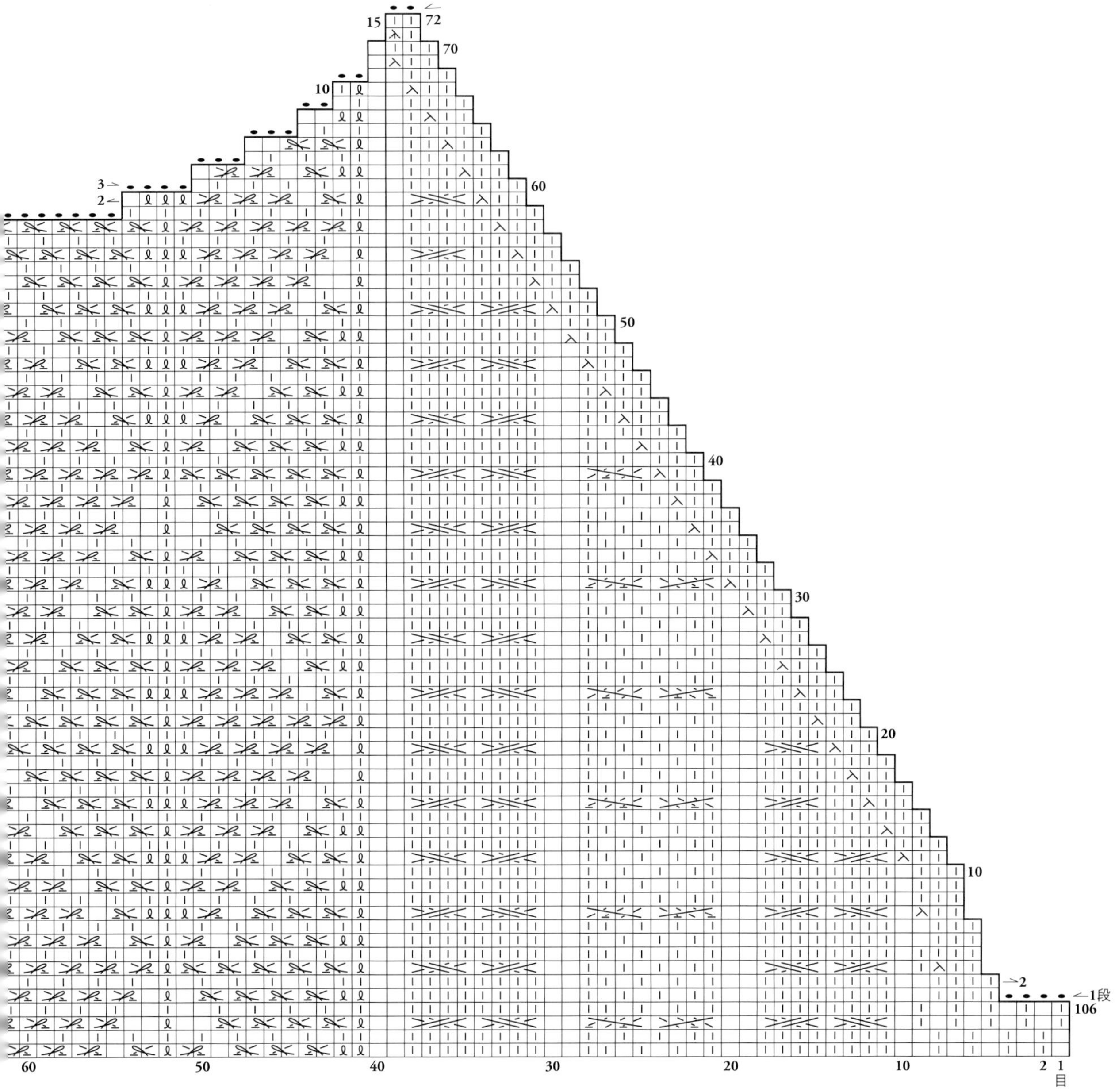
72
70
60
50
40
30
20
10
2
1段
106
15
10
3
2
60
50
40
30
20
10
2
1
目

R
3色づかいの
アランセーター
p.32/33

糸 ブルックリンツィード シェルター EMBERS 140g SAP 130g HAYLOFT 120g

針 6号、5号2本棒針 5号4本棒針 4/0号かぎ針

ゲージ 模様編みB、B' 17目27段が10cm四方
模様編みC 11目が4cm 27段が10cm
模様編みD 13目が5.5cm 27段が10cm
模様編みE 21目27段が10cm四方

サイズ 胸囲94cm 着丈59.5cm 背肩幅35cm 袖丈56cm

編み方 糸は1本どりで、指定の色で編みます。
前後身頃、袖はそれぞれ指に糸をかけて目を作る方法で作り目をし、模様編みA、ガーター編みで編みます。続けて模様編みB〜Eで編みます。前は模様が伸びないように最終段で3目ずつ減らし、編終りの糸で肩をメリヤスはぎにし、脇、袖下をすくいとじにします。衿ぐりから拾い目をして模様編みA'を輪に編み、編終りはかぎ針を使う方法で伏止めします。袖を引抜きとじでつけます。

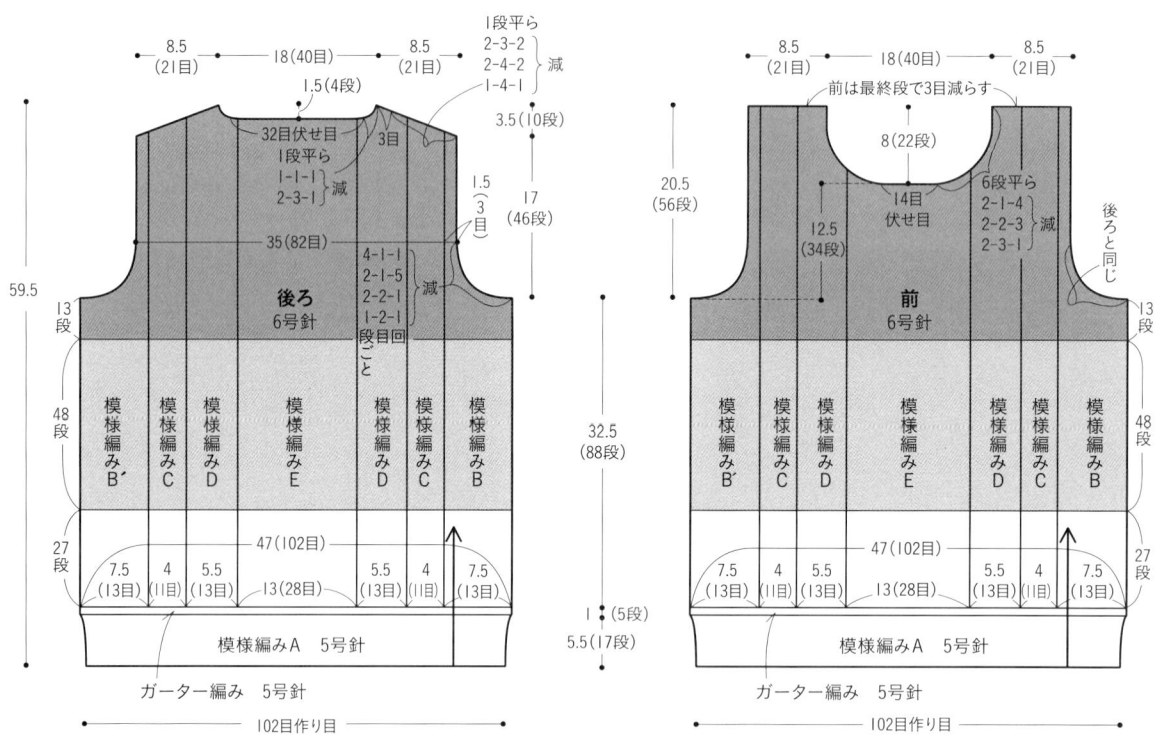

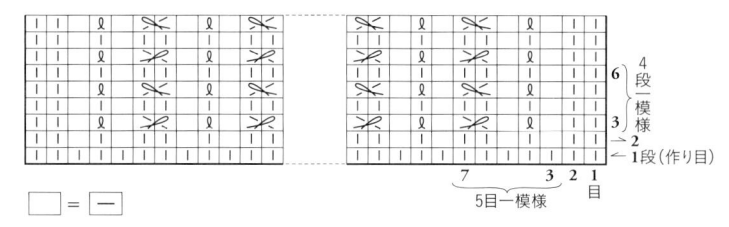

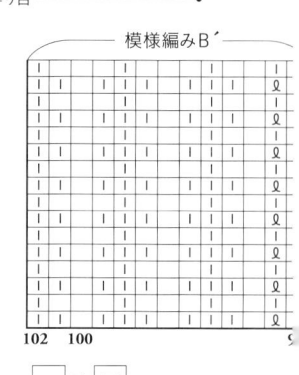

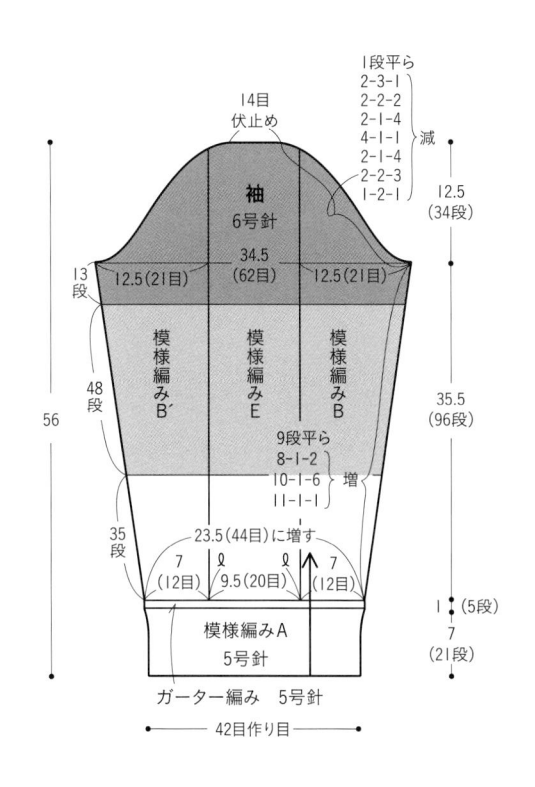

袖

- 14目 伏止め
- 6号針
- 34.5 (62目)
- 12.5 (21目) / 12.5 (21目)
- 模様編みB´ / 模様編みE / 模様編みB
- 13段
- 48段
- 35段
- 56
- 12.5 (34段)
- 35.5 (96段)
- 1 (5段)
- 7 (21段)
- 23.5 (44目)に増す
- 7 (12目) / 9.5 (20目) / 7 (12目)
- 模様編みA 5号針
- ガーター編み 5号針
- 42目作り目

減：
- 1段平ら
- 2-3-1
- 2-2-2
- 2-1-4
- 4-1-1
- 2-1-4
- 2-2-3
- 1-2-1

増：
- 9段平ら
- 8-1-2
- 10-1-6
- 11-1-1

衿ぐり

模様編みA´ 5号針

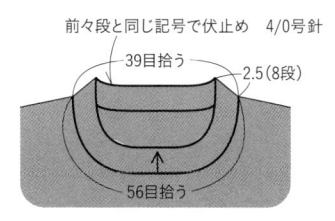

前々段と同じ記号で伏止め 4/0号針

- 39目拾う
- 2.5 (8段)
- 56目拾う

模様編みA´の記号図

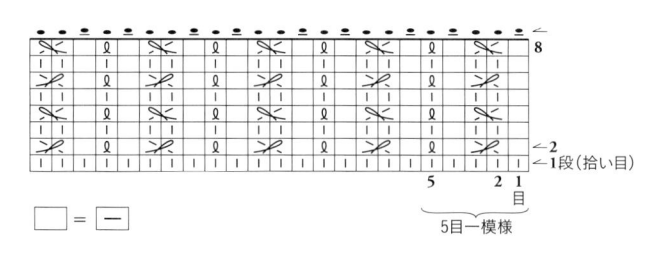

5目一模様
1段(拾い目)

配色

- ■ =EMBERS
- ▨ =HAYLOFT
- □ =SAP

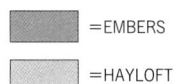

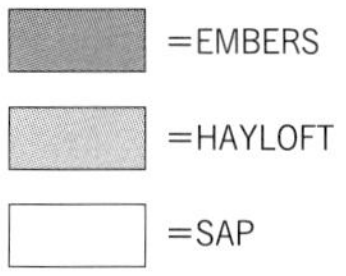

ガーター編みの記号図

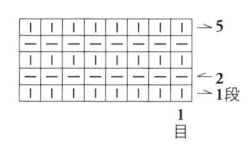

1目

模様編みB～Eの記号図

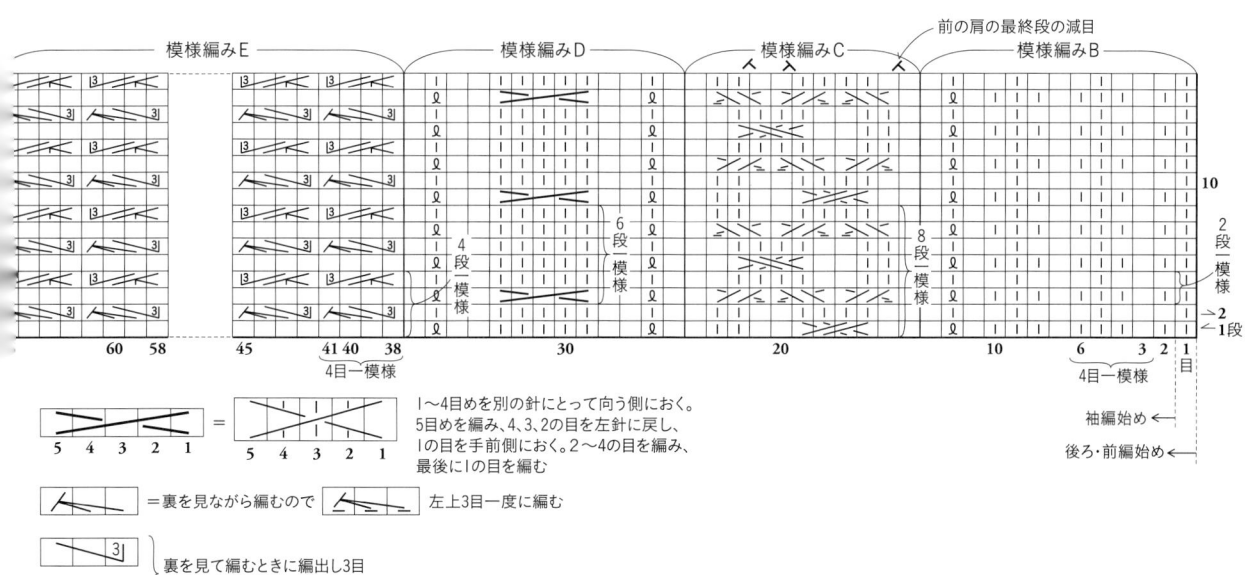

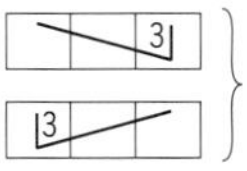

模様編みE / 模様編みD / 模様編みC / 模様編みB

前の肩の最終段の減目

- 60 58 / 45 / 41 40 38 / 30 / 20 / 10 / 6 3 2 / 1
- 4目一模様
- 4段一模様 / 6段一模様 / 8段一模様 / 2段一模様
- 10
- 2
- 1段

袖編始め
後ろ・前編始め

1～4目を別の針にとって向う側におく。
5目めを編み、4、3、2の目を左針に戻し、
1の目を手前側におく。2～4の目を編み、
最後に1の目を編む

= 裏を見ながら編むので 左上3目一度に編む

= 裏を見て編むときに編出し3目
(表目、裏目、表目)

T/U

アラン大判ストール&マフラー

p.36/37

糸 リッチモア スペクトルモデム　ストール／キャメル（11）570g　マフラー／紺（45）310g
針 9号、7号2本棒針　6/0号かぎ針
ゲージ 模様編みA　17目が8cm　25段が10cm
　　　　模様編みB　6目が3cm　25段が10cm
　　　　模様編みC　24目が9cm　25段が10cm
サイズ ストール　幅55cm　長さ166cm
　　　　マフラー　幅31cm　長さ166cm
編み方 糸は1本どりで編みます。
かぎ針を使って目を作る方法で作り目をし、7号針に替えて2目ゴム編みを編み、指定の目数に増し目をし、模様編みA〜Cで増減なく編みます。続けて減目をして2目ゴム編みを編み、編終りはかぎ針を使う方法で伏止めします。

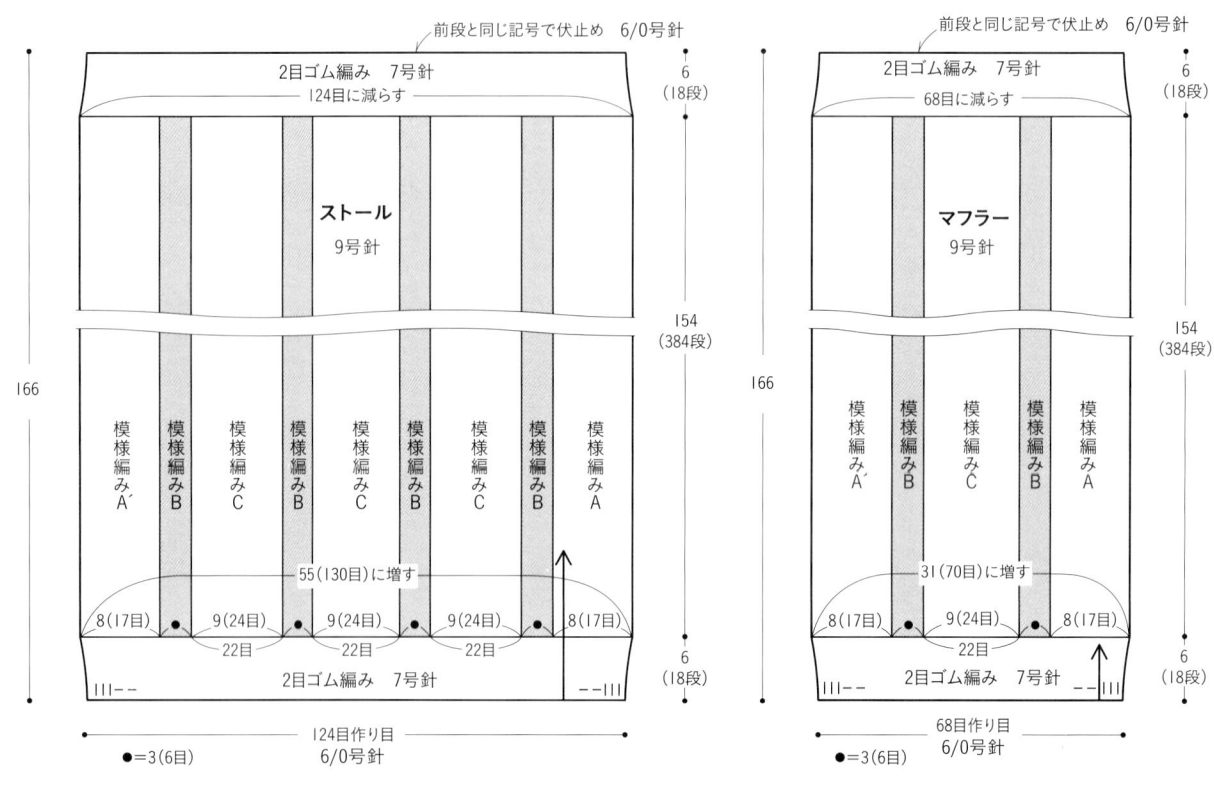

◎ 親指穴に別糸を編み込む

1 親指穴の手前で編んでいた糸を休め、別糸で指定の目数（★ ここでは6目）を編む

2 別糸で編んだ目を左の針に移し、別糸の上から続きを編む

3 続けて編み進む

◎ 親指の目の拾い方、編み方

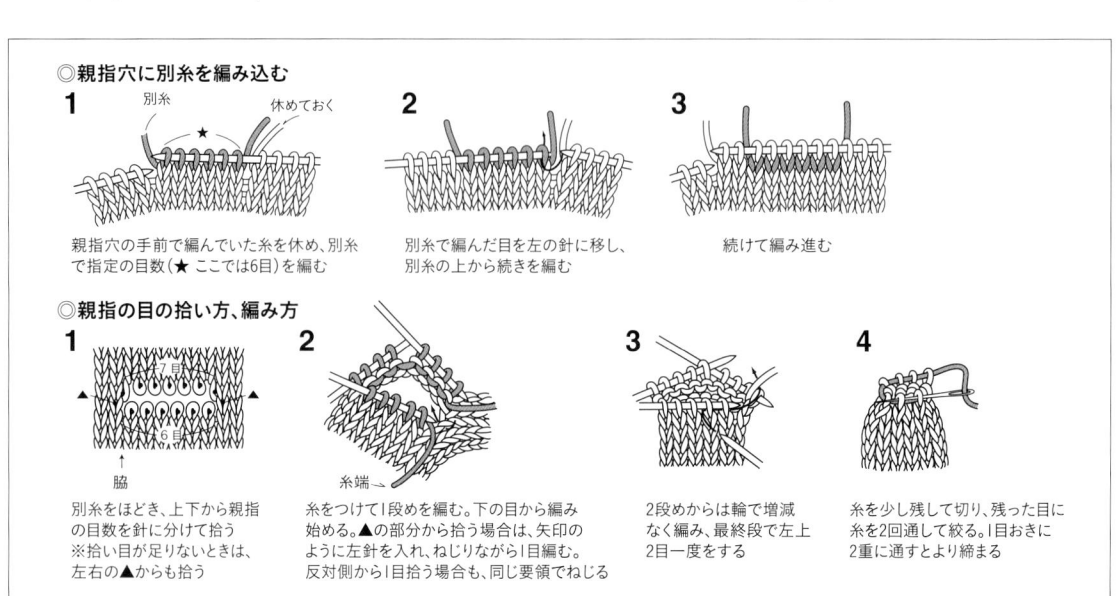

1 別糸をほどき、上下から親指の目数を針に分けて拾う
※拾い目が足りないときは、左右の▲からも拾う

2 糸をつけて1段めを編む。下の目から編み始める。▲の部分から拾う場合は、矢印のように左針を入れ、ねじりながら1目編む。反対側から1目拾う場合も、同じ要領でねじる

3 2段めからは輪で増減なく編み、最終段で左上2目一度をする

4 糸を少し残して切り、残った目に糸を2回通して絞る。1目おきに2重に通すとより締まる

2目ゴム編みと模様編みの記号図

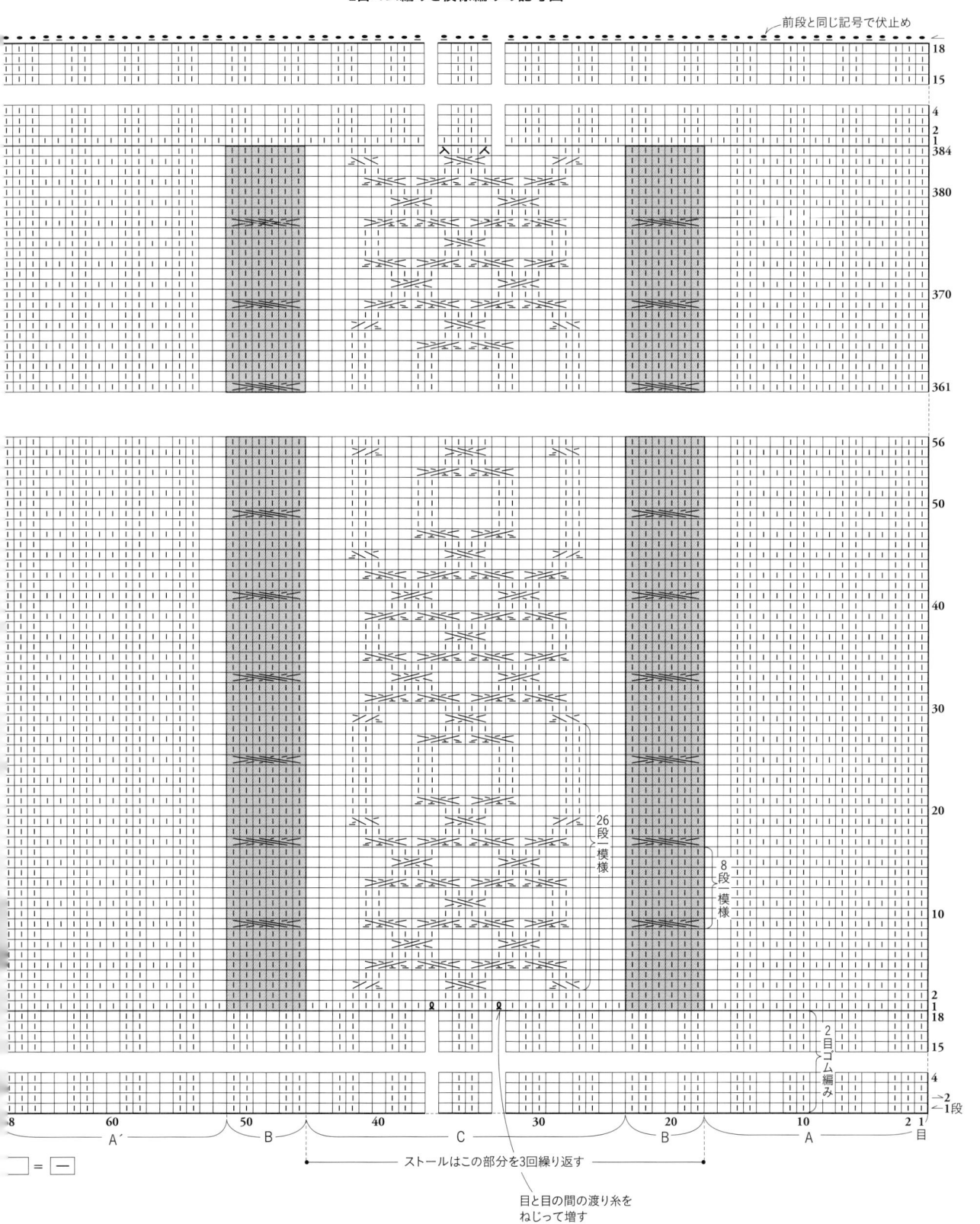

V
アランベスト
p.38/39

糸　ハマナカ アランツィード　グレー(3) 450g
針　10号、8号、6号2本棒針　5/0号かぎ針
付属品　直径2.5cmのボタン6個
ゲージ　模様編み　24目24段が10cm四方
　　　　1目ゴム編み　27目24段が10cm四方
サイズ　胸囲94.5cm　着丈59cm　背肩幅38cm
編み方　糸は1本どりで編みます。

前後身頃はそれぞれ指に糸をかけて目を作る方法で作り目をし、2目ゴム編みを編みます。続けて増し目をして模様編みで編みますが、前身頃はポケットあきに別糸を編み込みます。ポケットあきの別糸をほどいて拾い目をし、ポケット口（編終りはかぎ針を使う方法で伏止め）とポケット裏を編んでとじつけます。衿・前立ては後ろ中央で同様に作り目をし、1目ゴム編みを編みますが、右側にはボタン穴をあけながら編みます。左側は裏側を見ながら作り目から拾い目をして編みます。肩をかぶせ引抜きはぎにし、袖ぐりから拾い目をして2目ゴム編みで往復に編み、編終りは伏止めします。脇をすくいとじにし、衿・前立てをすくいとじでつけます。ボタンをつけます。

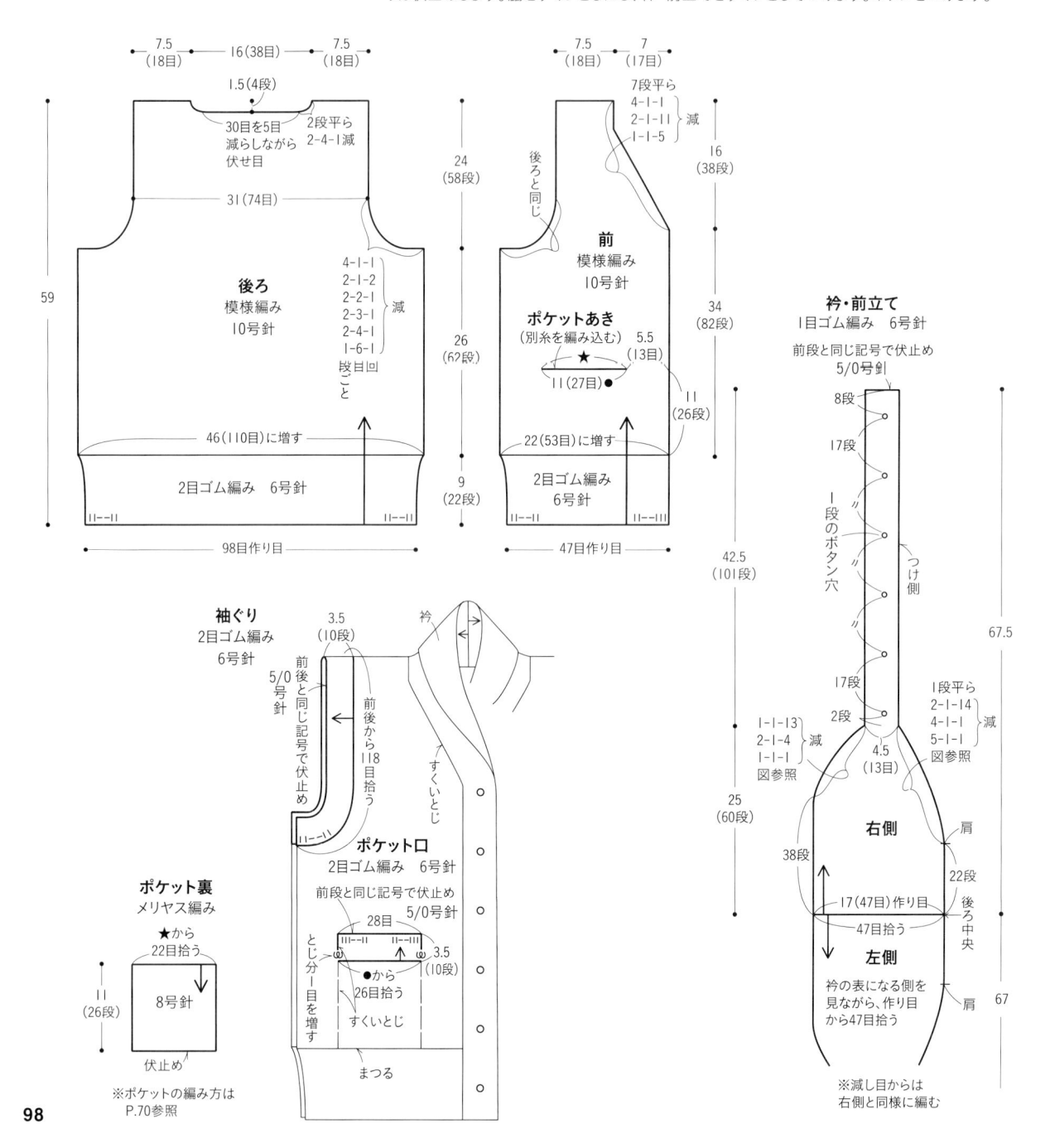

衿・前立てとボタン穴の編み方

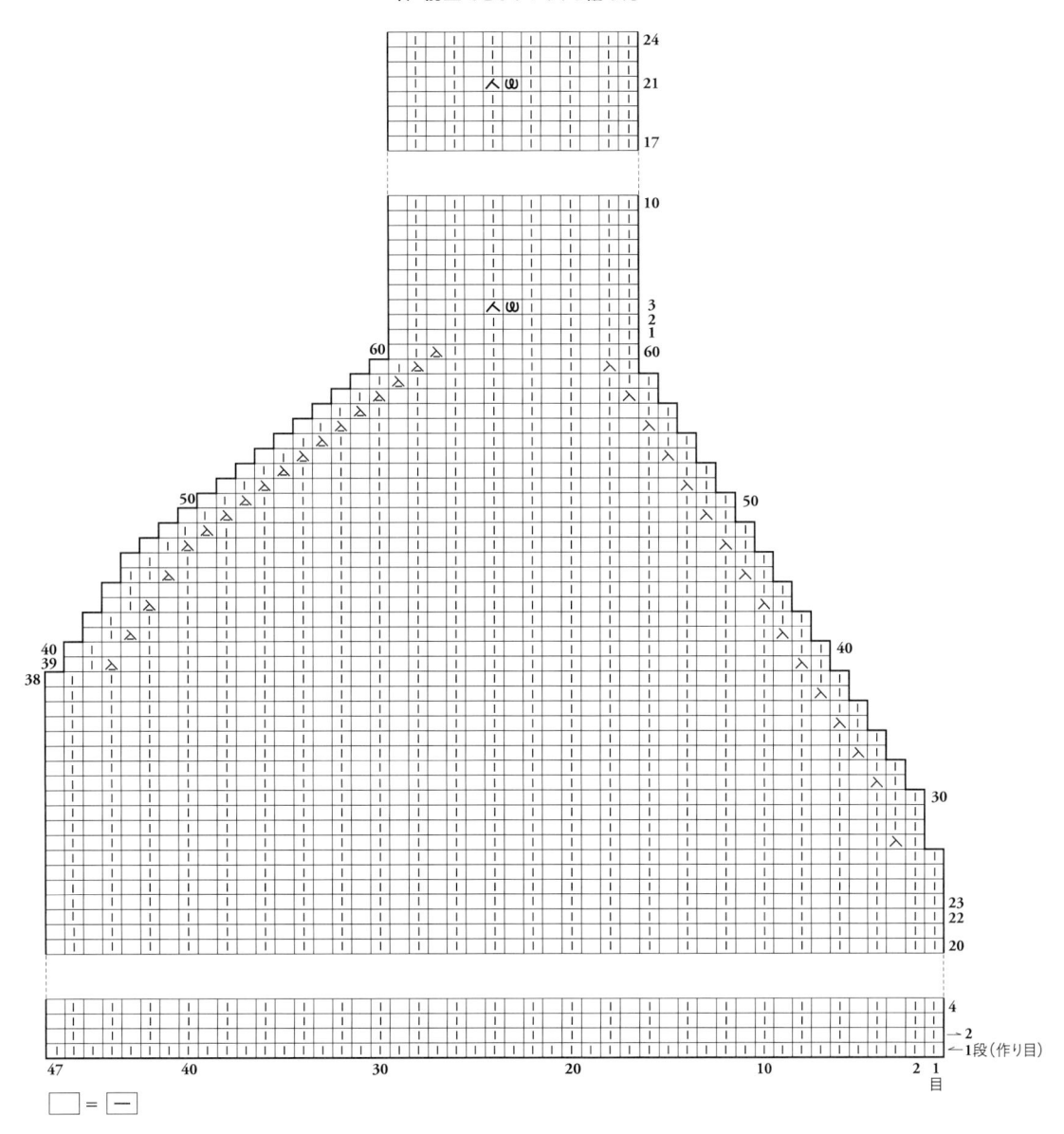

模様編みの記号図

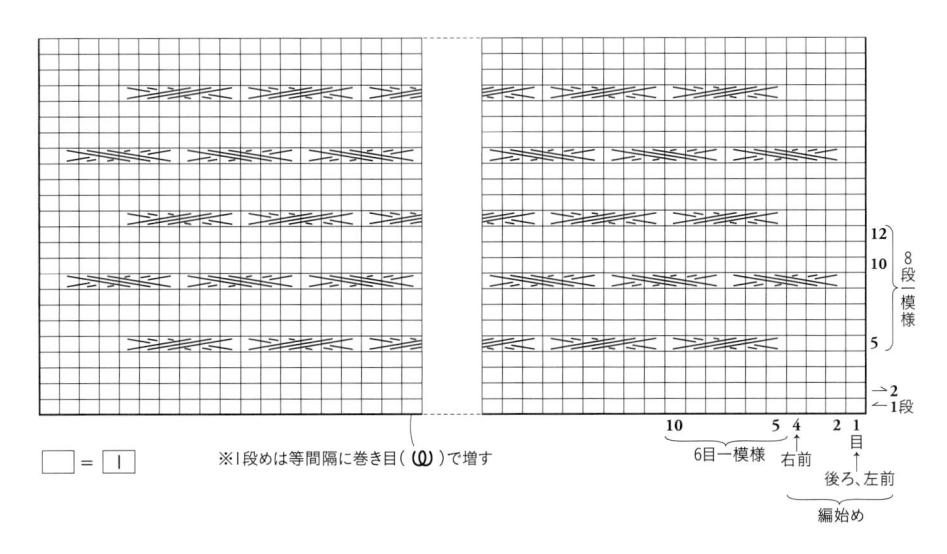

□ = |

※1段めは等間隔に巻き目(⦵)で増す

6目一模様

右前
後ろ、左前
編始め

8段一模様

W/X

アランベレー&ミトン

p.40/41

糸 ブルックリンツィード シェルター POSTCARD
ベレー70g ミトン48g

針 6号、4号4本棒針 5/0号かぎ針

ゲージ ベレー 模様編みA 22.5目33段が10cm四方
　　　 ミトン 模様編みC 23目31段が10cm四方

サイズ ベレー 頭回り54cm 深さ23cm
　　　 ミトン 手のひら回り18cm 長さ23cm

編み方 糸は1本どりで編みます。

ベレー 別糸を使って目を作る方法で120目作り目をして輪にし、模様編みAで図のように増減しながら編み、残った12目に糸を通して絞ります。別糸をほどいて拾い目をし、模様編みBで編み、編終りはかぎ針を使う方法で伏止めします。

ミトン 別糸を使って目を作る方法で42目作り目をして輪にし、模様編みAで編みますが、親指穴には指定の位置に別糸を編み込みます。指先は図のように減らし、残った4目に糸を通して絞ります。親指は別糸をほどいて拾い目をし、メリヤス編みで図のように編み、残った7目に糸を通して絞ります。

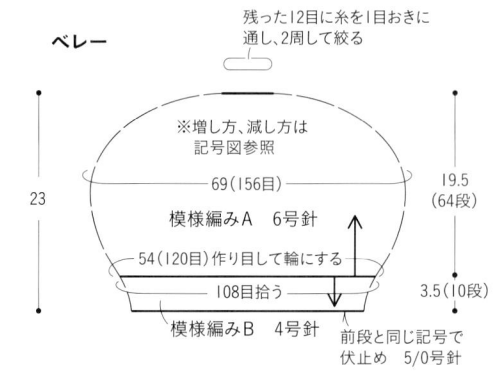

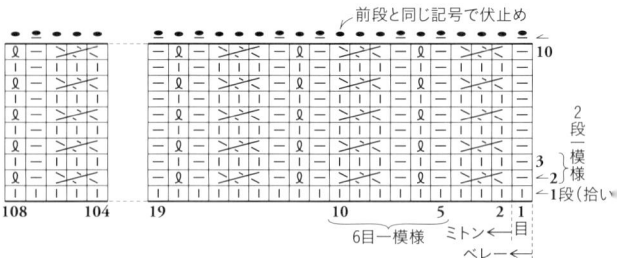

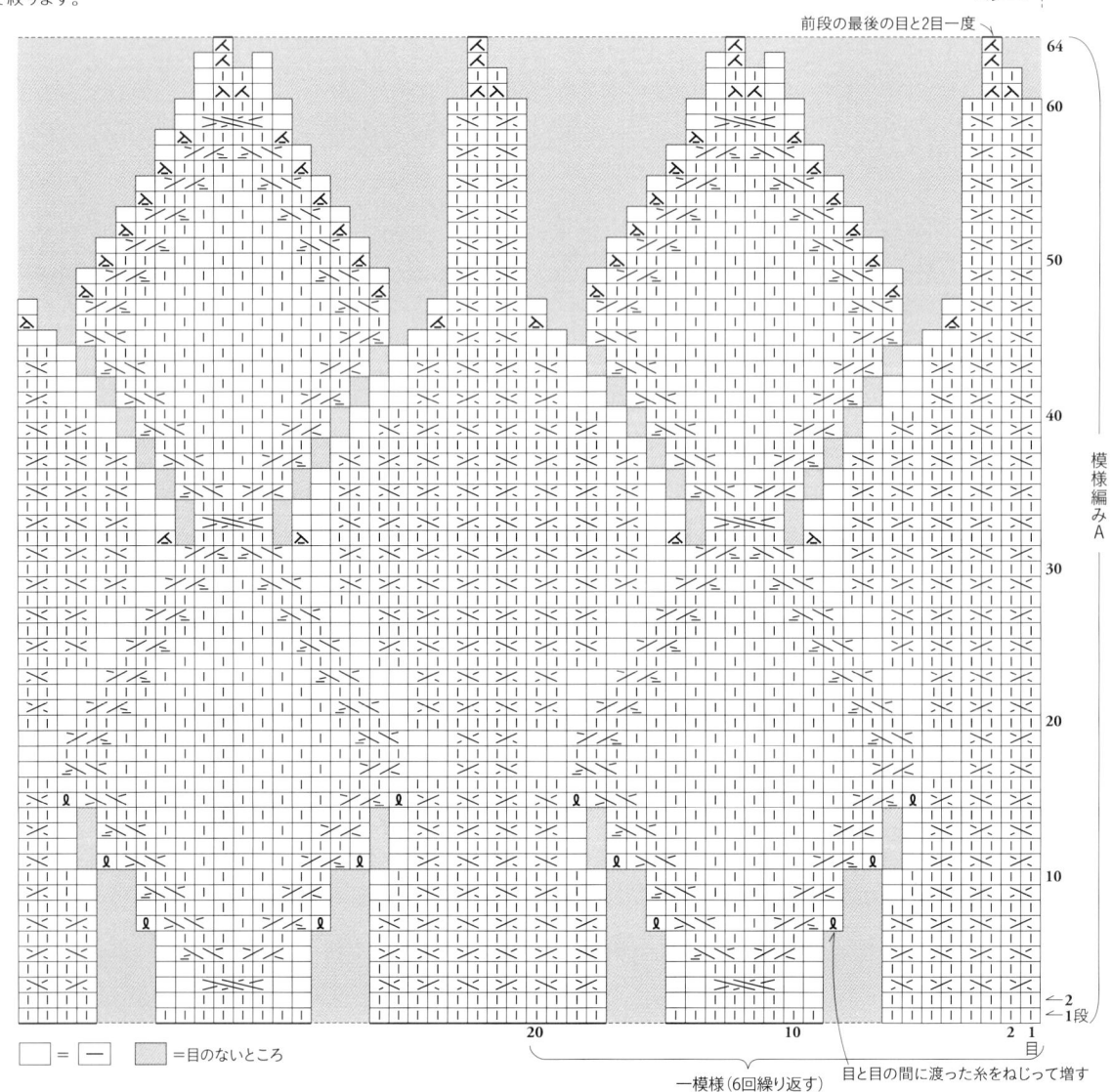

ミトン

親指
メリヤス編み
4号針

親指の編み方

親指の目の拾い方
※親指の目の拾い方は P.96参照

残った4目に糸を通して絞る

残った7目に糸を1目おきに通し、2周して絞る

模様編みC　6号針

左手親指穴　5目
右手親指穴　5目
（別糸を編み込むP.96参照）

18（42目）作り目して輪にする
8.5（20目）　9.5（22目）
42目拾う

模様編みB　4号針

前段と同じ記号で伏止め
5/0号針

※模様編みBの記号図はベレー参照

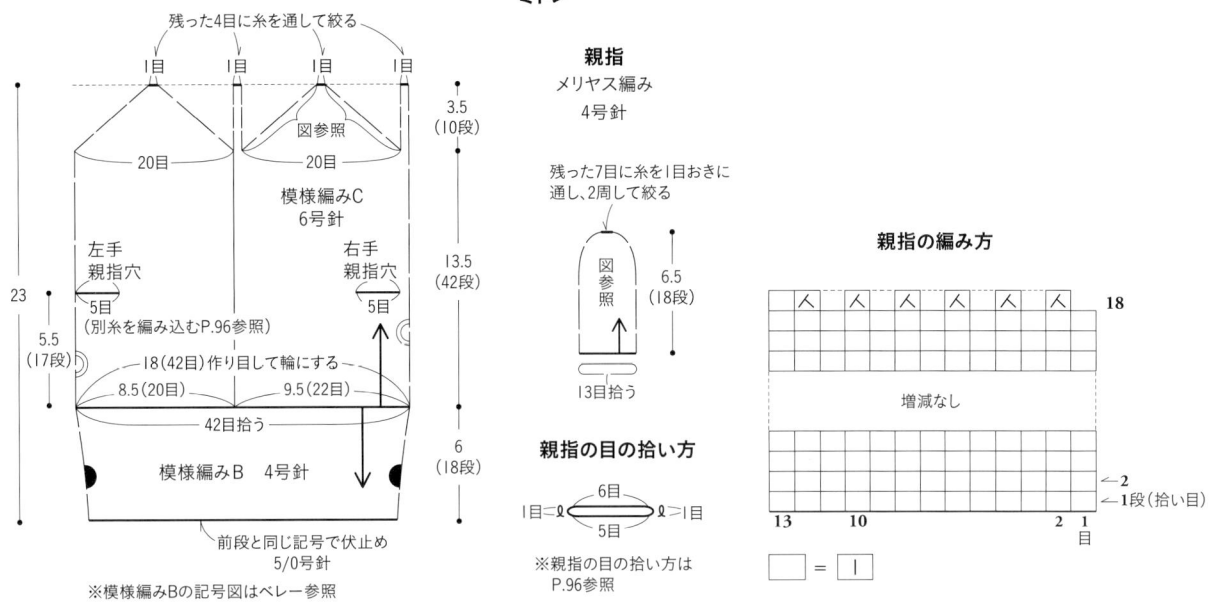

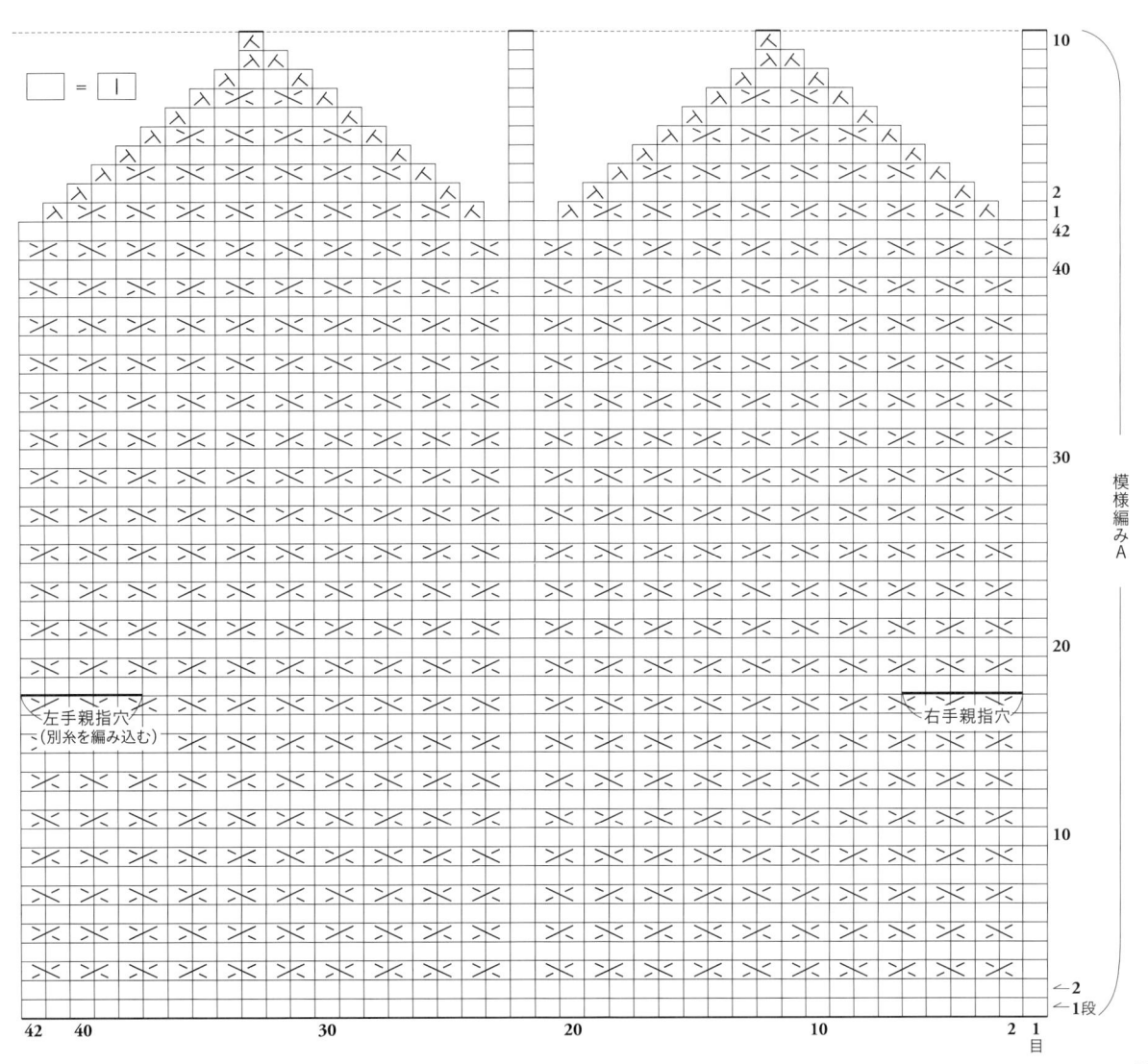

13目拾う

増減なし

□ = |

左手親指穴
（別糸を編み込む）

右手親指穴

模様編みA

Y / Z
アランソックス
p.42/43

糸 ハマナカ コロポックル　左　ピンク(19)60g　黄緑(12)、黄色(5)各7g
　　　　　　　　　　　　右　グレイッシュブルー(21)60g　ターコイズ(20)、オレンジ色(6)各7g
針 1号5本棒針　2/0号かぎ針
ゲージ 模様編み　33目40段が10cm四方
　　　　メリヤス編み　31目40段が10cm四方
サイズ 足のサイズ22cm(S～Mサイズに対応)　長さ16.5cm
編み方 糸は1本どりで、指定の色で編みます。
右足を編みます。別糸を使って目を作る方法で64目作り目をして輪にし、甲側は模様編み、底側はメリヤス編みで48段編み、かかと穴には別糸を編み込みます。続けて足首を模様編みで54段、ねじり1目ゴム編みで12段編み、編終りはかぎ針を使う方法で伏止めします。つま先は別糸をほどいて輪に拾い目をし、メリヤス編みで目を減らしながら20段編み、残った12目ずつをメリヤスはぎにします。かかとは別糸をほどいて輪に拾い目をし、つま先と同様に編みます。左足は立上りが足の内側になるように立上りの位置を底側に変えて同様に編みます。

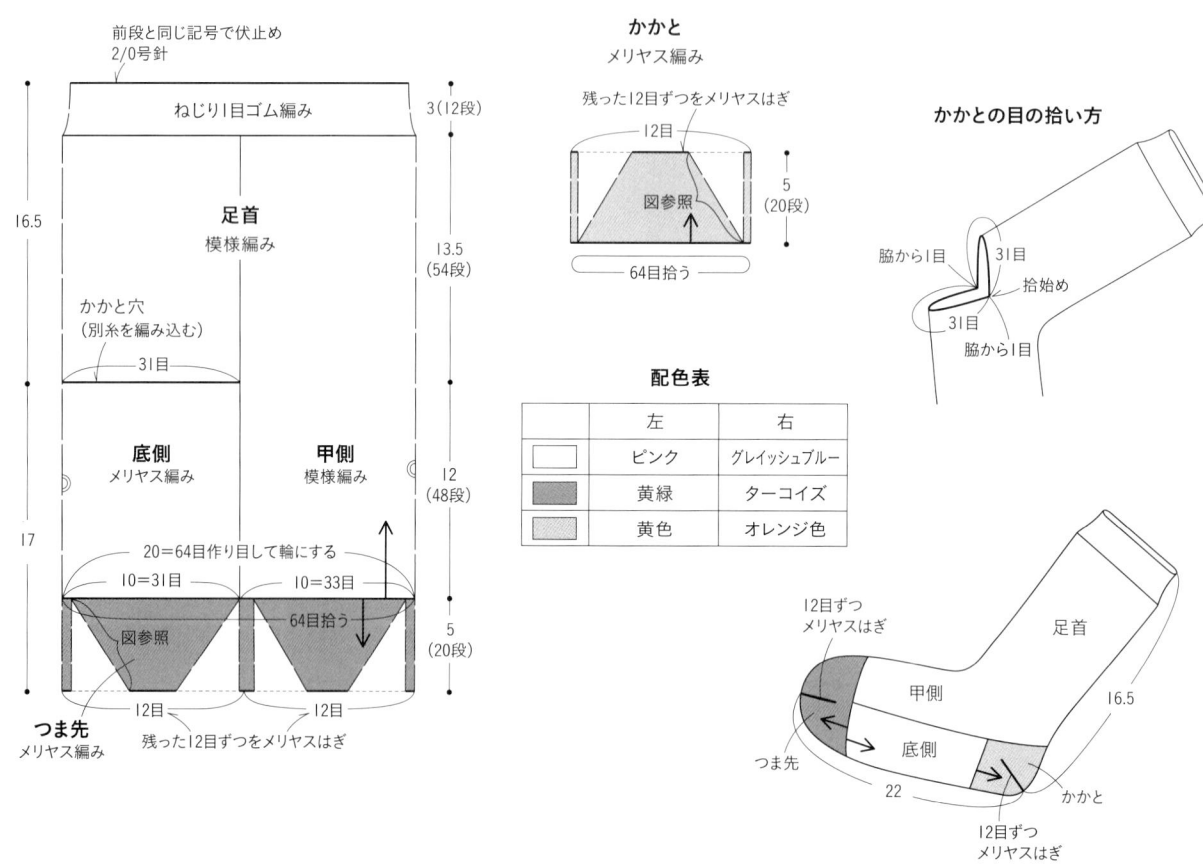

配色表

	左	右
	ピンク	グレイッシュブルー
	黄緑	ターコイズ
	黄色	オレンジ色

つま先、かかとの編み方

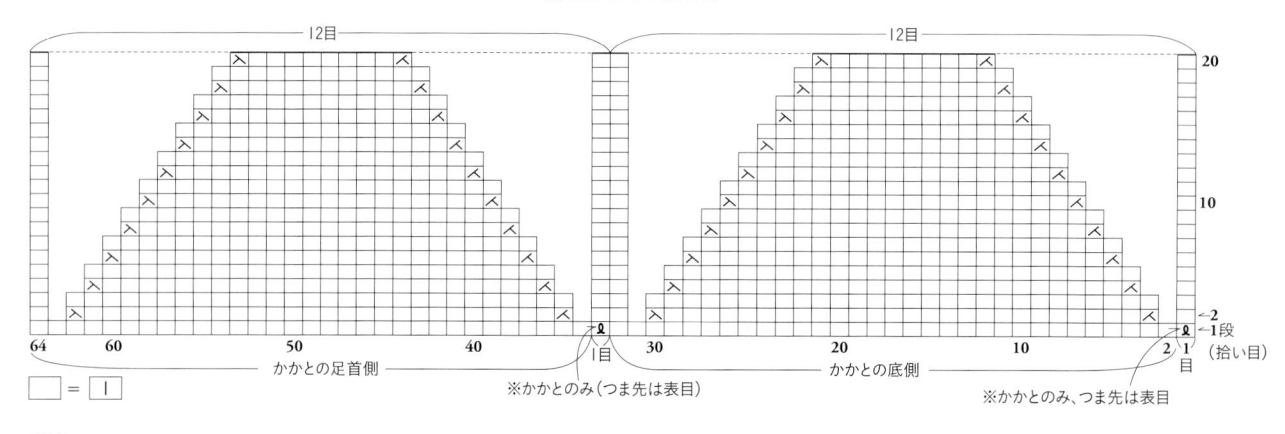

□ = |

足首

甲側 模様編み

底側 メリヤス編み

かかと穴
(別糸を編み込む)

103

ブックデザイン　林 瑞穂
撮影　　　　　古川正之　中辻 渉（カバー袖／糸）
スタイリング　白男川清美
ヘアメイク　　廣瀬瑠美
モデル　　　　YiRan　安井達郎
トレース　　　大楽里美（day studio）　白くま工房
校閲　　　　　向井雅子
編集　　　　　佐藤周子（リトルバード）
　　　　　　　平井典枝（文化出版局）

ARAN and GANSEY
アラン & ガンジーニット

2015年10月18日　第1刷発行
2019年12月20日　第4刷発行
著者　風工房
発行者　濱田勝宏
発行所　学校法人文化学園 文化出版局
　　　　〒151-8524　東京都渋谷区代々木3-22-1
　　　　tel.03-3299-2487（編集）
　　　　tel.03-3299-2540（営業）
印刷・製本所　株式会社文化カラー印刷

© Kazekobo 2015　Printed in Japan
本書の写真、カット及び内容の無断転載を禁じます。

・本書のコピー、スキャン、デジタル化等の無断複製は著作権法上での例外を除き、禁じられています。本書を代行業者等の第三者に依頼してスキャンやデジタル化することは、たとえ個人や家庭内での利用でも著作権法違反になります。
・本書で紹介した作品の全部または一部を商品化、複製頒布、及びコンクールなどの応募作品として出品することは禁じられています。
・撮影状況や印刷により、作品の色は実物と多少異なる場合があります。ご了承ください。

文化出版局のホームページ　http://books.bunka.ac.jp/

この本についてのお問合せは下記へお願いします。
リトルバード　☎ 03-5309-2260
受付時間／13:00～17:00（土日・祝日はお休みです）

【 素材提供 】
ダイドーインターナショナル（パピー）
☎ 03-3257-7135
http://www.puppyarn.com

ハマナカ（ハマナカ）
☎ 075-463-5151（代）
http://www.hamanaka.co.jp

ブルックリンツィード
https://www.brooklyntweed.com/
国内の取扱い店／keito
☎ 03-5809-2018
http://www.Keito-shop.com

リッチモア（ハマナカ）
☎ 075-463-5151（代）
http://hamanaka.jp/brand/richmore

糸の情報は2015年9月30日現在のものです。
廃番の場合はご了承ください。

【 衣装協力 】
MACHU PICHU
☎ 03-5459-3713
（表紙、P.11・P.16・P.26・P.30のチノパンツ、P.6・P.33・P.36のデニムパンツ、P.9・P.22のパンツ、P.26のジャケット、P.36・P.40のタートルカットソー／すべてKIN）

MUSEUM OF YOUR HISTORY 南青山店
☎ 03-6418-5094
（P.14・P.15のシャツ、P.18・P.19・P.24のシャツ、P.22のシャツワンピース、P.28・P.29のサロペット／すべてGRANDMA MAMA DAUGHTER、P.18・P.19のパンツ、P.29のシャツ、P.28・P.38のスカート、／すべてGRANDMA MAMA DAUGHTER toro、P.35のシャツ、チノパンツ／ともにAAA、P.37のデニムシャツ／KATO）

Clarks Japan
☎ 03-4510-2009
（P.9のシューズ／Clarks、P.12のシューズ／Clarks ORIGINALS）

TidePR
☎ 03-5771-5995
（P.12のパンツ／MARKK MCNASTY IF 6 WAS 9）

RHYTHM
☎ 03-6804-7283
（P.4のシューズ／RFW）

DIGAWEL
☎ 03-6452-3220
（P.12の長袖Tシャツ、P.20・P.21・P.25のシャツ、P.21のデニムパンツ／すべてDIGAWEL）

blinc
☎ 03-5775-7525
（P.11の眼鏡／サヴィル ロウ、P.33の眼鏡／シュロン）

Vlas Blomme 目黒店
☎ 03-5724-3719
（P.4のパンツ、P.15のパンツ、P.38のシャツ、P.43のパンツ／すべてVlas Blomme）

【 撮影協力 】
SHILO STUDIO GOTENYAMA
☎ 03-6450-4240
東京都品川区北品川6-5-3

AWABEES
UTUWA

【 参考文献 】
Traditional Knitting New
and Expanded Edition by Michael Pearson (Dover Books)

Patterns for Guernseys, Jerseys and Arans by Gradys Thompson (Dover Books)

Cornish Guernseys and Knitflocks by
Mary Wright (Alison Hodge/ Ethnographica)